El libro de los Cupcakes

El libro de los Cupcakes

LOVE FOOD™

Publicado por Parragon en 2012
Love Food es un sello editorial de Parragon Books Ltd.

Parragon Books Ltd
Queen Street House
4 Queen Street
Bath BA1 1HE, Reino Unido

ISBN: 978-1-4454-9923-9

Impreso en China/Printed in China

Introducción y nuevas recetas: Angela Drake
Cubierta y fotografías interiores: Clive Streeter
Economía doméstica: Angela Drake y Teresa Goldfinch
Diseño de la introducción: Pink Creative
Traducción y maquetación: Carme Franch Ribes para Equipo de Edición S. L., Barcelona
Redacción y maquetación: Equipo de Edición S. L., Barcelona

Notas:
En este libro algunas cantidades se dan en tazas. Se considera que una taza equivale a 250 ml. Si no tiene jarra
medidora —se compran en ferreterías y tiendas de menaje—, mida los ingredientes con un vaso o una taza
de 250 ml de capacidad, a poder ser transparente.
1 cucharadita equivale a 5 ml y 1 cucharada, a 15 ml. Si no se da otra indicación, la leche será siempre entera,
los huevos y las verduras u hortalizas, como las patatas, de tamaño medio, y la pimienta, negra y recién molida.

Los tiempos indicados son orientativos. Los tiempos de preparación pueden variar de una persona a otra según
su técnica culinaria; asimismo, también pueden variar los tiempos de cocción.
Los ingredientes opcionales, las variaciones y las sugerencias de presentación no se han incluido en los cálculos.

Las recetas que llevan huevo crudo o poco hecho no están indicadas para niños, ancianos, mujeres embarazadas
ni personas convalecientes o enfermas. Se recomienda a las mujeres embarazadas o lactantes que no consuman
cacahuetes ni productos derivados. Las personas alérgicas a los frutos secos tendrán que tener en cuenta que
algunos de los productos preparados que llevan estas recetas pueden contenerlos; por tanto, compruebe siempre
atentamente la lista de sus ingredientes.

Introducción

Sin duda, es muy difícil resistirse a unos deliciosos cupcakes. Son fáciles de hacer, sencillos de adornar y perfectos para cualquier ocasión, y además están más de moda que nunca.

En miniatura, decorados con mimo, delicados, untados hasta arriba de cobertura o divertidos y originales, los cupcakes son tremendamente versátiles. Encerrados en sus moldes de papel, son de lo más sencillos pero, una vez adornados, pueden convertirse en el centro de atracción de todo tipo de celebraciones, desde cumpleaños infantiles hasta incluso bodas.

A todo el mundo le gusta hacer cupcakes, desde el aprendiz de repostero al cocinero avezado. Para los niños, ayudar a preparar una hornada de cupcakes suele ser la primera experiencia entre fogones y, por muy deformes que les hayan quedado, siempre les saben a gloria.

En este libro encontrará toda la información que necesita para preparar y adornar cupcakes. Incluye una introducción exhaustiva sobre utensilios e ingredientes básicos, pasos sencillos y detallados de cómo cocerlos y adornarlos, y un sinfín de consejos e ideas para obtener resultados llamativos y divertidos y sugerencias de presentación para regalar sus cupcakes recién horneados a los amigos.

Cuando haya asimilado las nociones básicas, solo le quedará elegir entre las 80 magníficas recetas y disfrutar. Tendrá mucho donde escoger: desde sencillos cupcakes tradicionales hasta sofisticadas creaciones, pasando por irresistibles opciones a base de chocolate o adornos exquisitos que dejarán con la boca abierta a sus invitados. ¡Bienvenido al maravilloso mundo de los cupcakes!

Utensilios para preparar los cupcakes

Por suerte, para hacer cupcakes no hace falta aprovisionarse de un montón de cacharros caros o sofisticados, bastan los utensilios básicos de cualquier cocina. A continuación encontrará una lista de lo que necesitará para empezar.

Tazas dosificadoras

Para obtener los mejores resultados, es imprescindible dosificar los ingredientes con precisión. Los líquidos se miden con tazas transparentes o jarras medidoras de plástico. Elíjalas con las marcas bien visibles y con pico, y compruebe la medida a la altura de la vista. Para dosificar los ingredientes sólidos se venden unos juegos de tazas medidoras que constan de recipientes con capacidad para 1, $1/2$, $1/3$ y $1/4$ de taza. No presione los ingredientes y, si no se da otra indicación, ráselos, si es necesario pasando la hoja del cuchillo por la superficie.

Cucharas dosificadoras

Con un juego de cucharas dosificadoras podrá medir con precisión pequeñas cantidades de ingredientes como levadura, bicarbonato y esencia de vainilla. Los juegos de cuatro, cinco o seis cucharas sirven para medidas entre $1/4$ de cucharadita y 1 cucharada. Si no se da otra indicación, las cucharadas y cucharaditas son rasas.

Boles para mezclar

En general, para preparar cupcakes solo necesitará un bol grande para mezclar los ingredientes, aunque le irá bien tener dos o tres más de distintos tamaños. Los boles de vidrio templado refractario son prácticos y resistentes, mientras que los de cerámica están disponibles en varios colores y quedan muy bien en la cocina.

Tamices y coladores

Para tamizar los ingredientes secos y deshacer los grumos necesitará un tamiz, o bien un colador grande metálico o de plástico con una malla de calibre medio o fino. Un tamiz o un colador de malla fina también le irán bien para adornar los cupcakes con cacao en polvo o azúcar glas. Después de lavar los utensilios metálicos, séquelos bien.

Utensilios

Cucharas

Para montar y mezclar ingredientes necesitará cucharas de madera, y para incorporarlos, una cuchara metálica. Las cucharas de madera son baratas, por lo que merece la pena comprar varias de distintos tamaños. Séquelas bien después de lavarlas y tire las que estén viejas o astilladas. Una cuchara metálica grande es imprescindible para incorporar los ingredientes.

Varillas eléctricas

Aunque no son imprescindibles, las varillas eléctricas van muy bien para mezclar la pasta de los cupcakes, sobre todo si mezcla todos los ingredientes a la vez en lugar de incorporarlos uno a uno. Elija un modelo que disponga al menos de tres velocidades para evitar mezclar demasiado la pasta.

Lenguas

Una lengua flexible de silicona o caucho le irá bien para remover con suavidad los ingredientes y desprender la masa de las paredes del bol. Las que tienen forma de cuchara son perfectas para introducir la masa en la manga pastelera.

Moldes múltiples

Los huecos de un molde estándar miden 6 cm de diámetro, pero también encontrará moldes con huecos diminutos para cupcakes en miniatura o grandes y hondos para cupcakes gigantes. Incluso hay moldes llanos para cupcakes de 10 cm de diámetro y 1 cm de alto. Como es lógico, la forma de los cupcakes dependerá del molde que utilice.

Rejilla metálica

Una vez cocidos, deberá pasar los cupcakes a una rejilla metálica para que se enfríen deprisa y uniformemente. Si va a cocerlos por tandas, merece la pena comprar una rejilla apilable para aprovechar al máximo el espacio de la encimera.

Utensilios para adornar

Moldes individuales

En las tiendas de menaje encontrará una gran variedad de moldes individuales para cupcakes. A continuación se detallan las medidas más habituales.

♡ **Moldes grandes:** hondos y de 9 cm de diámetro, son adecuados para preparar cupcakes gigantes.

♡ **Moldes de tamaño estándar:** de 5-6 cm de diámetro, según el fabricante, y algo menos de capacidad que los grandes.

♡ **Moldes en miniatura:** adecuados para preparar minicupcakes que se comen de un bocado.

♡ **Materiales:** hay moldes individuales de papel, aluminio y silicona. Los de silicona son muy prácticos y están disponibles en una amplia gama de colores, tamaños y diseños. La mayoría pueden ponerse directamente en la bandeja del horno, sin necesidad de encajarlos en un molde múltiple. Su principal ventaja es que son reutilizables.

Para preparar las recetas de este libro puede elegir moldes del tamaño que desee, pero recuerde no llenarlos demasiado y ajustar el tiempo de cocción en función de la capacidad.

Mangas pasteleras y boquillas

Si desea adornar los cupcakes con remolinos grandes de crema de mantequilla, elija una manga pastelera grande de plástico reutilizable o desechable. Después, encaje una boquilla grande en forma de estrella o lisa en el extremo.

Para hacer adornos más sofisticados puede comprar un juego completo que incluye una manga pastelera pequeña revestida de plástico, varias boquillas metálicas y un adaptador que permite cambiar de boquilla sin vaciar la manga. También encontrará mangas de silicona o papel, e incluso puede hacerlas usted mismo con papel vegetal (véase la página 31).

Cortapastas

Los cortapastas redondos, lisos o acanalados son perfectos para recortar redondeles de alcorza para adornar los cupcakes. Los dibujos pequeños (corazones, números, flores) permiten obtener adornos sencillos pero llamativos.

Rodillo

Para extender pequeñas cantidades de mazapán o alcorza necesitará un rodillo pequeño antiadherente.

Espátulas

Una espátula mediana le irá bien para untar los cupcakes con la cobertura. Para despegar y colocar la alcorza u otros adornos sobre los cupcakes también necesitará una espátula acodada pequeña.

Colorantes alimentarios

Hay colorantes de todas las tonalidades, ya sean en pasta o en líquido. En pasta crean colores más intensos y van bien para teñir el mazapán, la alcorza y la cobertura de merengue. En líquido son más apropiados para glaseados y crema de mantequilla. Encontrará colorantes en pasta en establecimientos especializados.

Formas divertidas

Ingredientes

Mantequilla o margarina

Puede utilizar mantequilla con un poco de sal o margarina, aunque con la mantequilla obtendrá un sabor más rico y cremoso. Sea cual sea su elección, sáquela del frigorífico al menos 1 hora antes porque tiene que estar completamente blanda para poder batirla con el azúcar. Para preparar crema de mantequilla se recomienda utilizarla sin sal.

Azúcar

Si no se da otra indicación, los cupcakes de este libro se preparan con azúcar blanco extrafino, ya que tiene la textura ideal para batirlo con la mantequilla o la margarina y obtener una crema homogénea. Si el azúcar es integral la masa quedará más oscura y con un sabor más intenso a caramelo. El azúcar glas, o en polvo, tiene una textura muy fina y se disuelve enseguida, por lo que es muy adecuado para coberturas.

Harina

La mayoría de las recetas de este libro se preparan con harina con levadura. Compruebe en el envase la fecha de consumo preferente, de lo contrario la levadura no ejercería el efecto deseado. Si prefiere sustituirla por harina común, mézclela con $1\frac{1}{2}$ cucharaditas de levadura en polvo y $\frac{1}{2}$ cucharadita de sal por cada taza de harina. Para airear y aligerar la masa todo lo posible, tamice la harina. Si es integral, añada también el salvado que quede en el tamiz, ya que es la parte más nutritiva y sabrosa.

Huevos

Para obtener los mejores resultados, los huevos tienen que estar a temperatura ambiente. Si estuvieran fríos, cortarían la crema de mantequilla y azúcar. Si no se da otra indicación, para preparar las recetas de este libro utilice huevos grandes.

Levadura y bicarbonato

Ambos agentes leudantes permiten obtener cupcakes ligeros y esponjosos. Cómprelos en pequeñas cantidades y compruebe siempre la fecha de consumo preferente.

Esencias

Las esencias de vainilla y almendra, dosificadas con mesura, realzan el sabor a una sencilla masa, al igual que otras esencias naturales como las de limón, naranja y menta. Si desea aromatizar sutilmente los cupcakes, añada unas gotas de agua de azahar o de rosas a la pasta.

Consejos prácticos

♡ Precaliente el horno con 15 minutos de antelación como mínimo. La temperatura indicada en las recetas es orientativa, por lo que deberá ajustarla en función de las necesidades del horno de que dispone. Los termómetros de horno van muy bien, sobre todo en modelos antiguos que no indican cuándo se alcanza la temperatura deseada. Los hornos de convección suelen ser más potentes que los convencionales, por lo que deberá bajar la temperatura unos 14 °C o seguir las indicaciones del fabricante.

♡ Prepare todos los ingredientes y compruebe que dispone de las cantidades adecuadas, así evitará tener que ir a buscarlos deprisa y corriendo en mitad de la receta. La mantequilla o la margarina y los huevos tienen que estar a temperatura ambiente. La mantequilla debe tener una textura suave y untuosa.

♡ Dosifique los ingredientes con precisión. Si peca por exceso o por defecto puede que no obtenga el resultado esperado.

♡ Bata la mantequilla con el azúcar hasta obtener una crema blanquecina y espumosa. Para ello necesitará trabajarla al menos 5 minutos a mano o 3 o 4 con las varillas eléctricas.

♡ Añada el huevo batido a la crema de mantequilla a cucharadas. Bata bien cada vez para incorporar el huevo antes de añadir la siguiente cucharada. Si lo añadiera demasiado deprisa, la crema empezaría a cortarse. En ese caso debería incorporar 1 cucharada de la harina dosificada antes de seguir añadiendo el huevo.

♡ Cuando agregue la harina, no remueva la masa mucho, de lo contrario se escaparía el aire que acaba de incorporar. Incorpórela como si la cortara y la mezclara, y compruebe que va levantando la masa que queda en el fondo del bol.

♡ Si mezcla todos los ingredientes a la vez, necesitará un poco más de levadura o bicarbonato para compensar la falta de aireación que se obtiene al batir la mantequilla con el azúcar y los huevos. En ese caso necesitará unas varillas eléctricas y batir la masa solo lo suficiente para mezclar todos los ingredientes y que quede homogénea y cremosa.

♡ Cuando reparta la masa entre los moldes de papel, no los llene demasiado. En general bastará con llenarlos dos tercios. Hágalo con una cuchara y recupere la masa que quede adherida a la misma con el meñique u otra cuchara. Si los moldes son pequeños le irá mejor una cucharilla.

♡ Cuando los cupcakes estén en el horno, evite la tentación de abrirlo, de lo contrario entraría aire frío y no subirían.

♡ Para comprobar si están listos, presiónelos un poco por arriba con el dedo: estarán en su punto cuando empiecen a ganar consistencia y, al retirar el dedo, recuperen la forma.

♡ Una vez horneados, déjelas enfriar de 5 a 10 minutos en el molde para que terminen de adquirir consistencia. Si los retirara demasiado deprisa se desharían. Deje que se enfríen del todo antes de untarlos con la cobertura o adornarlos.

♡ Es mejor consumir los cupcakes el mismo día de la preparación, aunque si no están adornados aguantarán bien 2 o 3 días en un recipiente hermético. Según la cobertura, los cupcakes se conservarán 1 o 2 días en un recipiente hermético. Es mejor no refrigerarlos, siempre y cuando la cobertura no sea de chocolate o nata. Sáquelos del frigorífico al menos 30 minutos antes de servirlos. Los cupcakes sin adornos o con cobertura de crema de mantequilla pueden congelarse 1 mes como máximo.

Si los cupcakes le han quedado...

Excesivamente hinchados: ha añadido demasiada levadura o se ha excedido en la temperatura del horno.

Hundidos por el centro: los ha dejado poco tiempo en el horno y/o ha abierto la puerta demasiado pronto.

Textura densa y pesada: ha batido poco la mantequilla con el azúcar y los huevos o ha incorporado la harina demasiado vigorosamente.

Receta básica de cupcakes a la vainilla

Siga estos 10 pasos al pie de la letra y obtendrá siempre los mejores resultados.

PARA 12 UNIDADES

- ½ taza de mantequilla ablandada ~~o margarina~~
- ½ taza generosa de azúcar extrafino
- 2 huevos un poco batidos
- 1 cucharadita de esencia de vainilla
- ✱1 taza escasa de harina con levadura
- 1 cucharada de leche

Paso 1

350°F

Precaliente el horno a 180 °C. Coloque moldes de papel en un molde múltiple para 12 cupcakes.

Paso 2

Ponga la mantequilla y el azúcar en un bol grande. Bátalos con una cuchara de madera o las varillas eléctricas hasta obtener una crema blanquecina, ligera y espumosa.

Paso 3

Incorpore el huevo batido poco a poco. Añádalo a cucharadas y bata bien la crema cada vez.

Paso 4

Incorpore la vainilla. Con un colador metálico grande o un tamiz, tamice la harina sobre el bol.

Paso 5

Incorpore la harina con suavidad con una cuchara metálica.

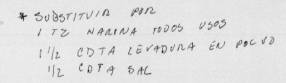

✱ SUBSTITUIR POR 1 TZ HARINA TODOS USOS 1 ½ CDTA LEVADURA EN POLVO ½ CDTA SAL

18

Paso 6

Añada la leche e incorpórela con suavidad a la masa.

Paso 7

La masa debería quedar homogénea y caer fácilmente de la cuchara al dar un golpecito con ella en el borde del bol.

Paso 8

Cuando reparta la masa entre los moldes de papel, no los llene demasiado.

Paso 9

Cueza los cupcakes en el horno de 15 a 20 minutos, o hasta que suban, se doren y empiecen a notarse consistentes al tacto.

Paso 10

Déjelos reposar 10 minutos y luego páselos a una rejilla metálica para que se enfríen del todo.

Variaciones de sabor

Limón o naranja: añada la ralladura fina de 1 limón o 1 naranja pequeños a la mantequilla y el azúcar en el paso 2.

Chocolate: sustituya 2 cucharadas de la harina por cacao en polvo.

Café: sustituya la leche por 1 cucharada de café cargado frío.

Almendra: sustituya la esencia de vainilla por 1 cucharadita de esencia de almendra.

~~Almendra: sustituya la esencia de vainilla por esencia de almendra.~~

Crema de mantequilla a la vainilla

La crema de mantequilla a la vainilla, suave y cremosa, es la cobertura ideal para los cupcakes. Se prepara en un santiamén, es fácil de untar o repartir con la manga pastelera y se derrite en la boca.

PARA 12 CUPCAKES

¾ escasos de taza de mantequilla sin sal ablandada

1 cucharadita de esencia de vainilla

2¼ tazas de azúcar glas (impalpable)

1-2 cucharadas de leche

Paso 1

Ponga la mantequilla con la vainilla en un bol grande. Bátala con las varillas eléctricas hasta que esté suave y blanquecina.

Paso 2

Sin dejar de batir, incorpore el azúcar glas tamizado. Cuanto más trabaje la crema, más ligera y esponjosa quedará. Incorpore la leche para obtener una consistencia más untuosa, de esta forma le será más fácil repartirla.

☆ Si no va a adornar los cupcakes enseguida, pase la crema de mantequilla a un bol, tápela con film transparente y resérvela en un lugar frío 2 o 3 días como máximo. Refrigerada se conservará hasta 1 semana, pero deberá dejarla al menos 1 hora a temperatura ambiente para que recupere la textura untuosa.

☆ Para teñir la crema de mantequilla, añada una pequeña cantidad de colorante en pasta o líquido con un palillo y bátala bien hasta obtener un color uniforme.

Variaciones de sabor

Chocolate: añada 2 cucharadas de cacao en polvo desleído en un poco de agua caliente o 115 g de chocolate con leche o negro derretido.

Limón o naranja: sustituya la leche por la ralladura fina y el zumo de 1 limón o 1 naranja grandes.

Café: sustituya la leche por 1 o 2 cucharadas de café cargado frío o 1 cucharada de esencia de café.

Caramelo: añada 1 o 2 cucharadas de dulce de leche.

Cómo untar la crema de mantequilla

La manera más sencilla de untar los cupcakes con la crema de mantequilla consiste en extenderla o arremolinarla con una espátula. A continuación encontrará una guía rápida de varios acabados.

Antes de empezar, bátala bien con una espátula para comprobar que está lo más homogénea y untuosa posible, sin grumos.

Para obtener un acabado suavemente arremolinado, tome una buena cantidad de crema de mantequilla con la espátula y póngala sobre el cupcake. Extiéndala hacia los lados y, sin levantar la espátula y realizando un movimiento oscilatorio hacia detrás y hacia delante, extienda la cobertura uniformemente.

Para obtener un acabado liso y abombado, ideal para adornar con confites, añada más crema de mantequilla en el centro del cupcake. Extienda la cobertura hacia los lados, hasta el borde del molde de papel, y alísela un poco.

Para obtener un acabado encrespado, añada un poco más de crema de mantequilla y extiéndala hacia los lados del cupcake, dejando una pequeña hendidura en el medio. Sosteniendo la espátula al bies y trabajando desde el borde, arrastre la cobertura alrededor de la magdalena.

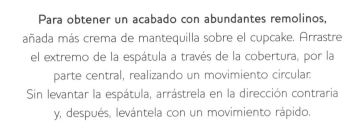

Para obtener un acabado con abundantes remolinos,
añada más crema de mantequilla sobre el cupcake. Arrastre
el extremo de la espátula a través de la cobertura, por la
parte central, realizando un movimiento circular.
Sin levantar la espátula, arrástrela en la dirección contraria
y, después, levántela con un movimiento rápido.

Repartir la crema con la manga pastelera

La manga pastelera permite obtener un acabado profesional sin esfuerzo.

♡ **Para rellenar la manga pastelera con la cobertura,** utilice una manga pastelera grande con una boquilla lisa o de estrella. Sosténgala con una mano y doble el extremo superior alrededor de los dedos y el pulgar. Introduzca la cobertura con una espátula. Cierre la manga pastelera y apriétela un poco para que la crema se reparta bien y no queden bolsas de aire. Retuerza un poco el extremo de la manga para que la cobertura no se salga.

Si le resulta más fácil, puede colocar la manga pastelera en un vaso alto y doblar el extremo superior alrededor del borde. De esta forma tendrá las dos manos libres para rellenarla.

♡ **Para formar remolinos con la cobertura,** acople una boquilla grande de estrella a la manga pastelera y coloque la punta cerca del borde del cupcake. Apriete bien la manga y, a medida que salga la crema, forme un redondel menguante en dirección al centro. Cuando llegue a la parte superior de la magdalena, deje de apretar la manga y levante la punta con suavidad para crear una cresta en el medio.

♡ **Para formar remolinos grandes con la cobertura,** reparta dos o tres círculos menguantes de crema por encima del cupcake, levantando un poco la manga mientras avanza.

♡ **Para formar rosetas con la cobertura,** acople una boquilla mediana de estrella a la manga pastelera y empiece a repartir la crema por el centro del cupcake. Mantenga la punta de la boquilla cerca de la superficie y siga dibujando una espiral hasta que el cupcake quede cubierto.

Rellenando la manga

Lista para repartir

Remolinos

Rosetas

Glaseado

El glaseado básico se prepara con una mezcla de azúcar glas y agua. Da un atractivo acabado liso a los cupcakes y cuaja en unos 30 minutos. Puede enriquecerse con otros ingredientes y teñirse, o bien adornarse en forma de espigas o telarañas.

PARA 12 CUPCAKES

1 1/3 tazas de azúcar glas (impalpable)

5-6 cucharadas de agua templada

Paso 1

Tamice el azúcar glas sobre un bol. Añada 2 cucharaditas del agua y bátalo bien con una cuchara de madera.

Paso 2

Vaya añadiendo el agua restante poco a poco hasta obtener un glaseado homogéneo y espeso que vele el dorso de la cuchara.

☆ El glaseado no debe dejarse reposar o, como mucho, 1 hora tapado con film transparente. Cuando vaya a glasear los cupcakes, remuévalo y, si se hubiera espesado un poco, añádale unas gotas de agua caliente.

☆ Si desea teñir el glaseado, añádale unas gotas de colorante líquido o una pequeña cantidad de colorante en pasta con la punta de un palillo y remuévalo hasta obtener un color uniforme.

Variaciones de sabor

Limón o naranja: sustituya el agua por zumo de limón o naranja y, si lo desea, añada un poco de ralladura fina.

Café: sustituya el agua por esencia de café o café cargado frío.

Chocolate: sustituya 3 cucharadas del azúcar glas por cacao en polvo.

Almendra o vainilla: sustituya ½ cucharadita del agua por ½ cucharadita de esencia de almendra o vainilla.

Para adornar el glaseado con espigas, extienda el glaseado neutro sobre los cupcakes de modo que quede bien repartido. Introduzca un poco de glaseado teñido o de otro sabor en una manga pastelera con una boquilla fina y trace unas líneas paralelas. Con un palillo, arrastre un poco las líneas en direcciones alternas para obtener una espiga.

Espigas y telarañas

Para adornar el glaseado con telarañas, en lugar de líneas paralelas dibuje tres o cuatro círculos concéntricos. Arrastre un palillo a través del glaseado desde el centro hasta el borde del cupcake y, desde aquí, de nuevo hasta el centro hasta obtener una telaraña en todo el contorno.

Glaseado real

El glaseado real se prepara con clara de huevo batida con azúcar, y constituye una cobertura homogénea y fluida. Es la mejor solución para dibujar adornos complejos puesto que conserva bien la forma y se endurece. También va bien para pegar adornos en la alcorza y crear motivos decorativos.

PARA 1¼ TAZAS

2 cucharadas de clara de huevo

1¼ tazas de azúcar glas (impalpable) tamizado

unas gotas de zumo (jugo) de limón (opcional)

Paso 1

Ponga la clara de huevo en un bol y bátala con el tenedor hasta que empiece a espumar.

Paso 2

Con las varillas eléctricas o una cuchara de madera, incorpore el azúcar glas poco a poco hasta obtener unas claras rígidas que formen picos al levantar las varillas. Para obtener la consistencia deseada para repartirlo con la manga pastelera puede añadirle unas gotas de zumo de limón.

♡ Si además del zumo le añade unas gotas de glicerina de uso alimentario evitará que las claras se endurezcan demasiado.

♡ El glaseado real se conserva unos días, siempre y cuando se tape con film transparente. Bátalo bien antes de extenderlo sobre los cupcakes y, si fuera necesario, añádale unas gotas de agua para que recupere la fluidez.

♡ Para teñir este glaseado se recomienda el colorante en pasta, ya que el líquido podría alterar la consistencia. Repártalo con la punta de un palillo y, después, bátalo bien.

Ganache de chocolate

El ganache de chocolate es la cobertura por excelencia de los cupcakes. Elaborado con chocolate negro de calidad y nata extragrasa, tiene un atractivo brillo satinado y es ideal para adornar los cupcakes con grandes remolinos.

PARA 12 CUPCAKES

150 g de chocolate negro

1 taza escasa de nata (crema) extragrasa

Paso 1

Pique bien el chocolate y póngalo en un bol refractario. Caliente la nata en un cazo y, cuando esté a punto de romper a hervir, viértala sobre el chocolate.

Paso 2

Remueva hasta que el chocolate se derrita y obtenga una crema homogénea.

♡ Para obtener una consistencia fluida, reparta el ganache enseguida entre los cupcakes.

♡ Para obtener una consistencia untuosa, deje enfriar el ganache de 15 a 20 minutos, removiendo de vez en cuando, hasta que se espese.

♡ Para obtener una consistencia más rígida para repartirlo con la manga pastelera, bátalo con las varillas eléctricas hasta que se enfríe y se espese y adquiera la consistencia de la mantequilla ablandada.

♡ Para adornar los cupcakes con bolitas de ganache, refrigérelo hasta que adquiera consistencia. Dele forma de bolitas y rebócelas con cacao en polvo o azúcar glas.

Mangas pasteleras y boquillas

Tanto si se trata de hacer grandes remolinos de crema de mantequilla como delicados motivos con cobertura de glaseado real, la manga pastelera permite obtener resultados espectaculares.

♡ Boquillas

Para repartir las coberturas de crema de mantequilla, nata montada o queso le irán bien las boquillas grandes lisas o de estrella, ya sean de metal o de plástico. Las anchas reparten la cobertura más deprisa y en forma de grandes remolinos.

Para los glaseados y las coberturas de glaseado real le irán bien un par de boquillas metálicas pequeñas y finas. Necesitará una lisa para dibujar líneas finas, puntos, letras y filigranas, y otra de estrella para hacer rosetas, estrellas y trenzados.

♡ Mangas pasteleras

Tanto si la manga pastelera es reutilizable como desechable, compruebe que tiene la capacidad adecuada para contener la cantidad de cobertura o glaseado necesaria.

Si se trata de nata montada, glaseado real, crema de mantequilla u otras coberturas, elíjala grande. No la llene demasiado y deje espacio suficiente por arriba para poder enrollarla y recoger bien el relleno.

Si se trata de un glaseado sencillo o una cobertura de glaseado real, elíjala mediana. Las mangas pasteleras desechables o de papel le irán bien si tiene que trabajar con glaseados de varios colores a la vez.

Cómo hacer una manga pastelera de papel

Recorte un cuadrado de papel vegetal de 25 cm, dóblelo por la mitad al bies y córtelo en dos triángulos. Sujete las dos puntas del lado largo de uno de los triángulos. Enrolle una punta sobre sí misma en busca del punto central, formando un cono, y después enrolle la otra en la misma dirección de modo que coincidan los tres puntos. Doble varias veces las puntas para afianzar el cono. Corte el extremo de la manga pastelera y utilícela con o sin boquilla.

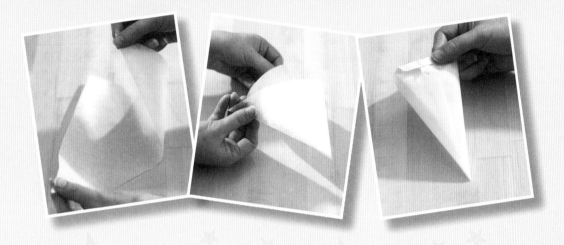

Cómo repartir el glaseado

Líneas y letras: utilice una manga pastelera con una boquilla fina para escribir. Póngala en contacto con la superficie y apriete la manga con suavidad. A medida que salga el glaseado, levántela para que este vaya cayendo en línea recta o curva. Cuando haya terminado, deje de apretar la manga y presione un poco la boquilla sobre la superficie para rematar la línea con pulcritud.

Filigranas: utilice una manga pastelera pequeña con una boquilla fina para escribir. Empezando por un extremo, dibuje una línea sinuosa de glaseado por toda la superficie. Intente que las líneas no se toquen ni se crucen y ejerza una presión constante sobre la manga de modo que queden del mismo grosor.

Adornos para guardar en la despensa

☆ **Dulces:** quizá sean la forma más sencilla y fácil de añadir un toque de color a los cupcakes glaseados o untados con cobertura, y los encontrará en una gran variedad de colores, formas y tamaños. Desde los clásicos fideos de azúcar hasta las relucientes grageas plateadas, las flores de colores pastel o los corazoncitos rojos, hay un dulce para cada ocasión. Añádalos antes de que el glaseado o la cobertura cuajen, de lo contrario no quedarían bien adheridos.

☆ **Azúcar de colores:** con unos granos unas cuatro veces más gruesos que los del azúcar granulado, este azúcar no se disuelve. Lo encontrará en una amplia gama de llamativos colores. Con el azúcar de colores los cupcakes glaseados adquieren un brillo elegante.

☆ **Brillantina comestible:** disponible en pequeños botes en establecimientos especializados, la brillantina dará el toque final a los cupcakes para celebrar ocasiones especiales. Esparza un poco sobre los cupcakes glaseados o, con un pincel pequeño, extiéndala sobre la alcorza o unos adornos hechos con la manga pastelera. Utilícela con moderación.

☆ **Golosinas y chocolatinas:** las golosinas y las chocolatinas aportan un toque de color a los cupcakes. Las chocolatinas recubiertas de caramelo, las pastillas de chocolate, los caramelos blandos y los ositos de goma son ideales para las fiestas de cumpleaños infantiles. Adorne los cupcakes cuando vaya a servirlos y verá cómo desaparecen en un santiamén.

☆ **Flores y otros adornos de azúcar:** tenga siempre a mano figuritas de azúcar como flores, caras de animales o motivos relacionados con alguna festividad para improvisar guarniciones.

☆ **Fruta fresca:** adorne los cupcakes con fruta fresca, una alternativa refrescante y deliciosa a los dulces. Pruebe con granos de uva, frutas del bosque o trozos de mango, piña, melocotón o albaricoque. Dispóngala sobre la cobertura o el glaseado antes de servir los cupcakes y consúmalos el mismo día.

☆ **Pétalos de rosa o violetas escarchados:** delicadamente perfumados y con una crujiente cobertura azucarada, un solo pétalo de rosa o una violeta quedan espectaculares sobre unos cupcakes glaseados, otorgándoles un toque elegante.

☆ **Frutos secos:** bien picados, tostados, enteros, en mitades o fileteados, los frutos secos son un adorno muy práctico que puede complementar un ingrediente o una cobertura. Para darles un poco de color, extiéndalos en la bandeja del horno y tuéstelos unos minutos en el horno precalentado o bajo el gratinador. Guárdelos en un lugar seco y compruebe la fecha de consumo preferente, ya que con el tiempo suelen enranciarse.

La guinda del pastel

☆ **Coco:** el coco seco, ya sea rallado o en copos, es otro adorno rápido y efectivo para los cupcakes. Para potenciar su sabor puede tostarlo un poco.

☆ **Grageas:** estas bolitas comestibles diminutas y brillantes son todo un clásico. No solo encontrará grageas plateadas y doradas, sino también rosas, azules y verdes. En establecimientos especializados también venden grageas plateadas grandes y en forma de corazón.

☆ **Flores y hierbas aromáticas:** las flores frescas aportarán a los cupcakes un toque estival. Compruebe que las flores que elija son comestibles, lávelas con cuidado con agua fría y déjelas secar sobre papel absorbente. Cuando vaya a servir los cupcakes, adórnelos con los pétalos o las flores enteras. Las hierbas aromáticas, como la menta y la melisa, son otra buena opción, sobre todo en combinación con fruta fresca o escarchada.

☆ **Piel de cítricos confitada:** consistente y con una textura granulosa, la piel de limón, naranja o cidra puede picarse o cortarse en tiras para adornar los cupcakes glaseados. Si prefiere una opción más sofisticada, sumerja las tiras en chocolate negro, deje que cuajen en una rejilla metálica y dispóngalas sobre los cupcakes.

☆ **Adornos no comestibles:** unos cupcakes adornados con velitas y bengalas siempre llaman la atención, sobre todo en cumpleaños y otras celebraciones. Las figuritas de plástico son otra opción, siempre y cuando se advierta a los comensales de que no son comestibles y que deben retirarse antes de comerse los cupcakes.

Adornos de chocolate

El chocolate es un ingrediente ideal para adornar los cupcakes con motivos sencillos o elaborados.

♡ Chocolate derretido ♡

Trocee el chocolate y póngalo en un bol refractario grande. Encaje el bol en la boca de un cazo con agua hirviendo, sin que llegue a tocarla, y déjelo reposar hasta que se derrita. Aparte el bol del calor y remueva el chocolate hasta que esté homogéneo.

Intente que las gotas de agua que se formen en las paredes del bol no entren en contacto con el chocolate derretido, de lo contrario formarían grumos. Por la misma razón, si en la receta se le pide que derrita el chocolate con algún líquido, ya sea leche, nata o licor, añada el líquido al bol antes de empezar a derretirlo.

Para derretir el chocolate en el microondas, trocéelo en un bol y caliéntelo a potencia media en intervalos de un par de minutos hasta que esté prácticamente derretido. Sáquelo, déjelo reposar 2 minutos y remuévalo hasta que esté homogéneo. Si han quedado grumos, déjelo en el microondas de 30 segundos a 1 minuto más.

♡ Canutillos de chocolate ♡

Vierta chocolate negro, con leche o blanco derretido sobre una losa de mármol o la encimera en una lámina fina y uniforme. Déjelo reposar hasta que empiece a ganar consistencia pero sin que se endurezca. Arrastre un cuchillo de hoja fina por la lámina de chocolate para que vaya enrollándose en forma de canutillos largos o cortos.

Si se partiera en lugar de enrollarse es porque está demasiado frío. Si se pegara al cuchillo es porque le falta consistencia.

♡ Virutas de chocolate ♡

Deje una tableta gruesa de chocolate al menos 1 hora a temperatura ambiente para que se ablande un poco. Pase un pelapatatas de hoja oscilante por uno de los lados de la tableta para obtener virutas de chocolate.

♡ Cómo hacer hojas de chocolate ♡

Escoja hojas frescas con los nervios bien definidos, como de laurel, rosal, menta o acebo. Lávelas y séquelas muy bien. Pinte la parte inferior de las hojas con una capa gruesa de chocolate derretido, procurando que no rebose por los lados. Si las hojas son de acebo, intente que no gotee por las puntas. Deje reposar las hojas, con la parte cubierta de chocolate hacia arriba, sobre un trozo de papel vegetal en un lugar frío hasta que cuaje. Con cuidado, separe las hojas del chocolate. Como son tan frágiles, es mejor que prepare más de la cuenta por si alguna se rompiera.

♡ Dibujos de chocolate ♡

Forre la bandeja del horno con papel vegetal. Rellene la manga pastelera con chocolate derretido y córtele solo el extremo, de modo que quede un orificio muy pequeño. Dibuje siluetas sencillas, como flores, remolinos o motivos decorativos sobre el papel. Intente que no sean muy complicados, de lo contrario podrían romperse con facilidad. Deje reposar los dibujos en un lugar fresco hasta que se endurezcan y sepárelos con cuidado del papel. Trasládelos con una espátula pequeña, ya que el calor de los dedos podría derretir el chocolate.

Adornos de alcorza

La alcorza es un glaseado de azúcar suave y maleable que se vende en tiendas de repostería. Encontrará desde la variedad de color blanco o marfil hasta de otros colores.

Cómo teñir la alcorza

El colorante en pasta es más recomendable, ya que con el líquido la alcorza quedaría pegajosa. En primer lugar, amase la alcorza hasta que esté homogénea. Añada un poco de colorante con la punta de un palillo y trabájela de nuevo hasta que se tiña uniformemente. Si prefiere un color más intenso, añada un poco más de colorante. Envuelva la alcorza bien apretada con film transparente para que no se seque.

Para obtener un efecto veteado, amase junta alcorza de dos colores distintos. Para obtener mejores resultados, combine un tercio de alcorza de un color fuerte con dos tercios de otra más clara o blanca y no las trabaje demasiado.

Cómo extender la alcorza

Espolvoree la encimera con un poco de azúcar glas y amase la alcorza hasta que esté homogénea. Con un rodillo pequeño (mejor si es antiadherente), extiéndala en una lámina fina, levantándola y dándole la vuelta de vez en cuando para que no se pegue.

Cómo recortar la alcorza

Para adornar los cupcakes con un redondel de alcorza, utilice un cortapastas liso o acanalado de un diámetro similar. Presione bien el cortapastas contra la alcorza, girándolo un poco. Unte el cupcake con un poco de confitura, crema de chocolate, glaseado neutro o cobertura de glaseado real. Levante el redondel de alcorza con una espátula y colóquelo sobre el cupcake.

Para obtener adornos pequeños como estrellas, corazones, letras, números y flores, extienda una pequeña cantidad de alcorza con el rodillo. Recórtela en la forma deseada y levante las siluetas con cuidado con una espátula acodada pequeña. Para pegarlas a un cupcake cubierto de alcorza, adhiéralas con un poco de agua, glaseado o cobertura de glaseado real.

Para secar los adornos de alcorza, déjelos reposar sobre papel vegetal en un lugar fresco al menos 24 horas. Cuando se endurezcan, distribúyalos al bies sobre los cupcakes.

Formas divertidas

Cómo moldear la alcorza

Con trocitos de alcorza podrá moldear figuras sencillas para adornar los cupcakes. Espolvoréese las manos con azúcar glas para que no se pegue.

Adornos de mazapán

Esta pasta de almendra maleable es similar a la alcorza pero con una textura algo más húmeda, por lo que resulta un poco más complicado teñirla y extenderla con el rodillo.

Cuando tiña mazapán, elíjalo de la variedad blanca y no le añada demasiado colorante, de lo contrario quedaría pegajoso.

Flores de mazapán o alcorza

Con la palma de la mano, moldee seis o siete trozos de mazapán o alcorza en bolitas del tamaño de un guisante.

Póngalas entre dos trozos de film transparente y aplánelas con un rodillo para obtener los pétalos.

Coloque un trozo de mazapán o alcorza del tamaño de una canica sobre una tabla de cocina y dele forma de cono para obtener la base de la rosa.

Enrolle uno de los pétalos alrededor de la base del cono para obtener el capullo.

Siga enrollando los pétalos alrededor del capullo para formar la rosa, apretando un poco la base para que los pétalos se ricen.

Separe la rosa de la base con un cuchillo afilado y déjela secar en un lugar frío.

Para adornar el contorno de los pétalos con brillantina comestible, píntelo con un poco de agua con un pincel fino. Rebócelo con la brillantina y dele unos golpecitos a la rosa para que caiga la que no se haya adherido. Deje reposar la rosa en un lugar frío hasta que se seque.

Bonito y apetitoso

Frutas, flores y hierbas azucaradas

Elija frutos rojos duros, como arándanos, frambuesas, grosellas y fresas, o granos de uva pequeños. Compruebe que no tengan motas ni magulladuras.

Las flores enteras o los pétalos deberán ser comestibles y lavarse a conciencia (véase abajo). Los pétalos de rosa se prestan mucho a esta técnica.

Las hierbas aromáticas, como la menta, la melisa y el laurel, quedan muy bien, pero también puede probar con unas ramitas de tomillo o mejorana.

Con un pincel pequeño, pinte la parte inferior de las frutas, las flores, los pétalos o las hojas con un poco de clara de huevo batida de modo que quede bien cubierta.

Después, si son flores, sosténgalas sobre un plato y espolvoréelas con azúcar, sacudiéndolas para que caiga el que no se haya adherido. Si son hojas, pétalos o frutos rojos, eche el azúcar en un plato llano y rebócelos parcial o totalmente.

Extienda una hoja de papel vegetal en una rejilla metálica y déjelos secar en un lugar fresco unas horas o toda la noche. Los frutos rojos se conservan solo un día, pero las uvas, las hojas y las flores aguantarán 2 o 3 días en un lugar fresco y seco.

 Flores comestibles

Rosas   Espliego

 Caléndulas   Pensamientos

Capuchinas

Cómo modelar los cupcakes

Si apila cupcakes de distintos tamaños obtendrá resultados muy divertidos, como estos Fantasmas (véase la página 212). También puede crear formas tridimensionales con rosquillas, nubes de azúcar, cucuruchos de helado o bolitas de alcorza o mazapán.

Para que los distintos componentes queden bien adheridos, úntelos con abundante crema de mantequilla o glaseado. Refrigere los cupcakes montados hasta que el glaseado cuaje antes de añadirles la alcorza o la cobertura.

Más ideas para modelar cupcakes

Árboles de Navidad: siga el mismo método de montaje que para preparar los Fantasmas pero moldee las bolitas de alcorza en forma de triángulo para simular la copa de los árboles. Tiña la crema de mantequilla de color verde y repártala con una espátula o una manga pastelera. Para terminar, adorne los árboles con grageas plateadas.

Sombreros de bruja: extienda un montoncito de crema de mantequilla teñida de verde sobre cada cupcake. Coloque un cucurucho de helado pequeño invertido encima como si fuera el sombrero. Debajo del sombrero, dibuje los ojos, la nariz y la melena desgreñada con unos tubos de glaseado negro.

Colmenas: coloque un cupcake invertido encima de otro. Con una boquilla grande y fina, dibuje unas líneas con crema de mantequilla enriquecida con miel alrededor del cupcake superior para simular una colmena. Adórnela con abejas y flores de alcorza.

Cómo añadir un toque especial a los cupcakes

Cupcakes rebozados

Para rematar los cupcakes untados con cobertura con un toque de color, reboce la parte superior o el contorno con confites, chocolate rallado, frutos secos bien picados, azúcar de colores o caramelos machacados.

Para rebozar el contorno, extienda los ingredientes del adorno en un plato llano. Sosteniendo el cupcake por la base, haga girar el contorno rápidamente sobre el plato y sacúdalo un poco.

Para rebozarlos del todo, alise la cobertura de forma abombada. Sosteniendo el cupcake sobre un plato, esparza los ingredientes del adorno por encima, presionando un poco con los dedos si fuera necesario.

Si están untados con crema de mantequilla, es mejor adornarlos uno por uno después de añadirles la cobertura, de lo contrario se secarían y los adornos no se pegarían.

Plantillas decorativas

Las plantillas compradas o hechas en casa permiten obtener bonitos diseños con cacao en polvo, azúcar glas, azúcar de colores o chocolate bien rallado.

Las pequeñas con dibujos sencillos, como corazones, flores y estrellas, son las más adecuadas. Colóquelas sobre los cupcakes y esparza cacao en polvo, azúcar glas, azúcar de colores o confites para hacer el dibujo. Después, retire la plantilla con cuidado.

Si lo prefiere puede crear sus propias plantillas con cartulina o, para adornarlos con encaje, recortar una servilleta de papel en forma de redondel.

Si le gustan las formas geométricas, disponga tiras finas de papel sobre los cupcakes y espolvoréelos con azúcar glas o cacao en polvo. Después, retire el papel con cuidado.

Cupcakes más ricos y jugosos

Si los pinta o laos rocía con almíbar antes de que se enfríen, los cupcakes ganarán en sabor y quedarán deliciosamente jugosos. Este truco le resultará muy útil cuando tenga que preparar una buena hornada para alguna celebración.

Para preparar el almíbar, caliente en un cazo a fuego lento 3 cucharadas generosas de azúcar con 4 cucharadas de agua hasta que el azúcar se disuelva. Hiérvalo, sin remover, alrededor de 1 minuto, o hasta que adquiera una consistencia almibarada, y déjelo enfriar al menos 10 minutos.

Pinche varias veces los cupcakes templados con un palillo y píntelos o rocíelos con el almíbar. Déjelos enfriar del todo antes de untarlos con la cobertura o glasearlos.

Jarabes

Limón o naranja: sustituya el agua por zumo de limón o de naranja.

Café: añada 2 cucharaditas de café soluble al almíbar.

Ron: sustituya 2 cucharadas del agua por ron negro.

Vainilla o almendra: añada 1 cucharadita de esencia de vainilla o de almendra.

Rellenos sorpresa

Para preparar unos cupcakes con sorpresa, vacíelos un poco y rellénelos.

La elección del relleno dependerá del ingrediente dominante de los cupcakes. La confitura de fresa o frambuesa combina muy bien con las de vainilla o almendra. La crema de chocolate con avellanas es un buen complemento para los cupcakes de chocolate o café, y la de limón para los que llevan cítricos.

Para vaciar los cupcakes, compruebe que se hayan enfriado del todo y, con una cucharilla o la punta de un cuchillo pequeño, retire un trocito. Rellénelos, procurando que no rebosen, y tápelos de nuevo, presionando un poco.

El toque final

Si los cupcakes son para una celebración o para un regalo, merece la pena pensar un poco en la presentación y el envoltorio. El toque final marca la diferencia, ya sea un soporte, una caja bonita o cintas de colores.

Banderines

Una forma rápida y sencilla de alegrar los cupcakes para una fiesta o una ocasión especial consiste en adornarlos con banderines. Puede comprarlos, lisos o estampados con motivos navideños, por ejemplo, o hacerlos usted mismo.

Si quiere hacerlos en casa, escoja un trozo de papel resistente (liso o estampado) o cartulina y recórtelo con la plantilla de esta página a modo de guía. Enrolle un palillo en un extremo y péguelo. Si lo desea, adorne los banderines con un dibujo sencillo o escriba un mensaje en ellos.

Para darles forma de corazón o de flor, dibuje el contorno de un cortapastas pequeño sobre un trozo de cartulina de colores. Recórtelo y, con pegamento o celo, pegue las piezas de dos en dos con un palillo en medio.

Plantilla

Etiquetas de regalo

Si tiene la intención de regalar una caja de cupcakes, necesitará etiquetarla como es debido.

Encontrará etiquetas en todos los colores y tamaños, por lo que podrá escoger las que combinen mejor con el color o el sabor de los cupcakes. Pero si prefiere darles un toque personal también puede hacerlos usted mismo.

Para ello, elija un trozo de papel resistente o cartulina y recórtelo con las plantillas de esta página a modo de guía. Perfore un extremo de la tarjeta con un taladro de oficina y atraviese el orificio con un trozo de cinta o bramante.

Plantillas

La presentación perfecta

Tanto si tiene invitados para tomar café como si celebra un cumpleaños o una boda, conseguirá que los cupcakes recién hechos sean el centro de atención si los presenta en fuentes o soportes decorativos.

Fuentes: para que los cupcakes adornados con elegancia resulten aún más apetitosos, sírvalos en fuentes de cerámica o soportes especiales. Intente no ponerlos demasiado juntos para que al ir retirándolos no se toquen entre ellos y se estropeen. También puede adornar la fuente o el soporte con flores, hierbas aromáticas, peladillas, cintas de colores o lazadas.

Soportes: esta opción es ideal para mostrar y servir distintas hornadas de cupcakes. Los soportes metálicos con compartimientos individuales van muy bien porque evitan que la cobertura o el glaseado se eche a perder. Si prefiere una alternativa más económica, también encontrará soportes de cartón desechables de distintos colores y estampados. Ambos modelos tienen capacidad para 20 a 30 cupcakes, más que suficientes para celebraciones íntimas. Si va a preparar más cantidad, le saldrá a cuenta alquilar un soporte apilable en un establecimiento especializado o hacerlo usted mismo con bases de cartón y soportes para tarta.

Envoltorios: estos envoltorios decorativos de cartulina se fabrican en diseños y colores distintos y van muy bien para envolver los cupcakes por separado. Algunos tienen motivos estampados, mientras que otros están adornados con encaje o tienen el contorno festoneado. Basta colocar los cupcakes dentro y pegarlos con un poco de celo.

Cajas de regalo: disponibles en todos los tamaños y colores, las cajas son la mejor carta de presentación de unos cupcakes recién hechos. Procure que la tapa sea transparente para poder ver el contenido sin abrirla. En establecimientos especializados también encontrará cajas de cartón con huecos para encajar los cupcakes de uno en uno, de modo que no se vuelquen.

Bolsas de celofán: transparentes o estampadas, son la mejor opción para regalar los cupcakes por separado. Si además las ata con una cinta de colores obtendrá un regalo bien bonito.

49

Cupcakes estivales

PARA 8 UNIDADES

$^1/_2$ taza de mantequilla ablandada o margarina

$^1/_2$ taza generosa de azúcar blanco

2 cucharaditas de agua de rosas

2 huevos grandes un poco batidos

1 taza escasa de harina con levadura

PARA ADORNAR

115 g de alcorza rosa

azúcar glas (impalpable), para espolvorear

85 g de alcorza blanca

85 g de alcorza azul

1 tubo de glaseado amarillo para dibujar

CREMA DE MANTEQUILLA

$^3/_4$ de taza de mantequilla sin sal ablandada

6 cucharadas de nata (crema) extragrasa

2$^3/_4$ tazas de azúcar glas (impalpable)

colorante alimentario verde

Precaliente el horno a 180 °C. Coloque 8 moldes de papel en un molde múltiple para cupcakes.

Bata la mantequilla con el azúcar y el agua de rosas en un bol hasta obtener un crema ligera y espumosa. Vierta el huevo poco a poco, sin dejar de batir. Tamice la harina por encima e incorpórela con una cuchara metálica.

Reparta la pasta entre los moldes de papel. Cueza los cupcakes en el horno de 15 a 20 minutos, hasta que suban, se doren y se noten consistentes al tacto. Déjelos enfriar en una rejilla metálica.

Extienda la alcorza rosa con el rodillo sobre la encimera espolvoreada con azúcar glas hasta obtener una lámina de 5 mm de grosor. Con un cortapastas pequeño en forma de mariposa, corte 16 unidades. Extienda la alcorza blanca y la azul en láminas del mismo grosor y, con un cortapastas pequeño en forma de margarita, corte unas 40 unidades. Si fuera necesario, amase de nuevo la alcorza. Dibuje el botón de las flores con el glaseado amarillo.

Para preparar la crema de mantequilla, bata la mantequilla en un bol con las varillas eléctricas 2 o 3 minutos, hasta que esté blanquecina y cremosa. Incorpore la nata y el azúcar glas tamizado, sin dejar de batir 2 o 3 minutos, hasta que la crema de mantequilla esté ligera y espumosa. Añada un poco de colorante para darle un color verde claro.

Introduzca la crema de mantequilla en una manga pastelera grande con boquilla grande de estrella. Repártala en forma de remolinos sobre los cupcakes. Adórnelos con las mariposas y las flores de alcorza.

Cupcakes empedrados

PARA 12 UNIDADES

2 cucharadas de cacao en polvo

2 cucharadas de agua caliente

$^1/_2$ taza de mantequilla ablandada o margarina

$^1/_2$ taza generosa de azúcar blanco

2 huevos un poco batidos

1 taza escasa de harina con levadura

COBERTURA

$^1/_4$ de taza de frutos secos variados picados

100 g de chocolate con leche derretido

2 tazas de nubes de azúcar pequeñas

$^1/_4$ de taza de cerezas confitadas picadas

Precaliente el horno a 180 °C. Coloque 12 moldes de papel en un molde múltiple para cupcakes.

Disuelva el cacao en polvo en el agua caliente y resérvelo. Bata la mantequilla con el azúcar en un bol grande hasta obtener una crema ligera y espumosa. Incorpore el huevo poco a poco y, después, el cacao desleído. Tamice la harina por encima e incorpórela con suavidad con una cuchara metálica.

Reparta la pasta entre los moldes de papel. Cueza los cupcakes en el horno precalentado 20 minutos, o hasta que suban y se noten consistentes al tacto. Déjelos enfriar en una rejilla metálica.

Para preparar la cobertura, mezcle los frutos secos con el chocolate derretido y extienda una pequeña parte sobre los cupcakes. Con suavidad, mezcle las nubes de azúcar y las cerezas confitadas con el chocolate con frutos secos restante y repártalo entre los cupcakes. Deje cuajar la cobertura antes de servirlos.

Cucuruchos de cupcake

PARA 8 UNIDADES

¾ de taza de mantequilla ablandada o margarina

¾ generosos de taza de azúcar blanco

3 huevos un poco batidos

1 cucharadita de esencia de vainilla

1¼ tazas de harina con levadura

½ taza de almendra molida

CREMA DE MANTEQUILLA

1 taza de mantequilla sin sal ablandada

1 cucharada de nata líquida (crema de leche) o leche

2¾ tazas de azúcar glas (impalpable)

PARA ADORNAR

12 chocolatinas

confites

Precaliente el horno a 180 °C. Coloque 8 moldes de papel en un molde múltiple para cupcakes.

Bata la mantequilla con el azúcar en un bol grande hasta obtener una crema ligera y espumosa. Vierta el huevo poco a poco y, después, añada la vainilla. Tamice la harina por encima y, con una cuchara metálica, incorpórela con suavidad con la almendra molida.

Reparta la pasta entre los moldes de papel. Cueza los cupcakes en el horno de 20 a 25 minutos, o hasta que suban, se doren y se noten consistentes al tacto. Déjelos enfriar en una rejilla metálica.

Para preparar la crema de mantequilla, bata la mantequilla en un bol con las varillas eléctricas 2 o 3 minutos, hasta que esté blanquecina y cremosa. Incorpore la nata y el azúcar glas tamizado poco a poco, sin dejar de batir 2 o 3 minutos, hasta obtener una crema ligera y espumosa.

Introduzca la crema de mantequilla en una manga pastelera grande con boquilla grande de estrella. Repártala en forma de remolinos sobre los cupcakes como si fueran cucuruchos de helado. Adórnelos con las chocolatinas y los confites.

Cupcakes con chupa-chups

PARA 12 UNIDADES

$^1/_2$ taza de mantequilla ablandada o margarina

$^1/_2$ taza generosa de azúcar blanco

2 cucharaditas de ralladura fina de naranja

2 huevos un poco batidos

1 taza escasa de harina con levadura

CREMA DE MANTEQUILLA

$^1/_2$ taza de mantequilla sin sal ablandada

2 cucharadas de zumo (jugo) de naranja

$1^3/_4$ tazas de azúcar glas (impalpable)

colorante alimentario naranja

PARA ADORNAR

85 g de alcorza verde

azúcar glas (impalpable), para espolvorear

fideos de azúcar rojos

12 chupa-chups

Precaliente el horno a 180 °C. Coloque 12 moldes de papel en un molde múltiple para cupcakes.

Bata la mantequilla con el azúcar y la ralladura de naranja en un bol grande hasta obtener una crema ligera y espumosa. Vierta el huevo poco a poco, sin dejar de batir. Tamice la harina por encima e incorpórela con suavidad con una cuchara metálica.

Reparta la pasta entre los moldes de papel. Cueza los cupcakes en el horno de 15 a 20 minutos, o hasta que suban, se doren y se noten consistentes al tacto. Déjelos enfriar en una rejilla metálica.

Para preparar la crema de mantequilla, bata la mantequilla con el zumo de naranja en un bol con las varillas eléctricas 2 o 3 minutos, hasta que esté blanquecina y cremosa. Incorpore el azúcar glas tamizado poco a poco y siga batiendo 2 o 3 minutos más, hasta obtener una crema ligera y espumosa. Tíñala con un poco de colorante naranja.

Extienda la alcorza con el rodillo sobre la encimera espolvoreada con azúcar glas hasta obtener una lámina de 5 mm de grosor. Con un cortapastas pequeño en forma de hoja, corte 24 unidades. Unte los cupcakes con la crema de mantequilla y adorne el contorno con los fideos de azúcar rojos. Clave un chupa-chup y disponga 2 hojas de alcorza en el centro de cada cupcake.

Cupcakes de chocolate con cerezas

PARA 12 UNIDADES

55 g de chocolate negro

6 cucharadas de mantequilla ablandada o margarina

1 cucharada de sirope de maíz (elote, choclo)

$1/4$ de taza de azúcar moreno

1 taza escasa de harina con levadura

1 huevo grande un poco batido

COBERTURA

$1/4$ de taza de cerezas confitadas picadas

$1/4$ de taza de almendra laminada

1 cucharada de pasas

1 cucharada de sirope de maíz (elote, choclo)

Precaliente el horno a 190 °C. Coloque 12 moldes de papel en un molde múltiple para cupcakes.

En un cazo, caliente el chocolate con la mantequilla, el sirope de maíz y el azúcar, removiendo de vez en cuando, hasta que empiece a derretirse. Déjelo enfriar 2 minutos.

Tamice la harina en un bol grande e incorpore el chocolate derretido. Añada el huevo y bátalo bien.

Reparta la pasta entre los moldes de papel. Mezcle los ingredientes de la cobertura y repártala entre los cupcakes.

Cueza los cupcakes en el horno precalentado de 15 a 20 minutos, o hasta que suban y se noten consistentes al tacto. Déjelos enfriar en una rejilla metálica.

Cupcakes de fresas con nata

PARA 10 UNIDADES

6 cucharadas de mantequilla ablandada o margarina

¹/₂ taza escasa de azúcar blanco

1 huevo grande un poco batido

¹/₂ cucharadita de esencia de vainilla

²/₃ de taza de harina con levadura

1 cucharada de leche

¹/₃ de taza de pasas

PARA ADORNAR

²/₃ de taza de fresas (frutillas) sin el rabillo y en láminas

1 cucharada de confitura de fresa (frutilla)

¹/₂ taza de nata (crema) extragrasa montada

azúcar glas (impalpable), para espolvorear

Precaliente el horno a 190°C. Coloque 10 moldes de papel en un molde múltiple para cupcakes.

Bata la mantequilla con el azúcar en un bol grande hasta obtener una crema ligera y espumosa. Vierta el huevo poco a poco y, después, añada la vainilla. Tamice la harina por encima y, con una cuchara metálica, incorpórela con suavidad con la leche y las pasas.

Reparta la pasta entre los moldes de papel. Cueza los cupcakes en el horno de 15 a 20 minutos, o hasta que suban, se doren y se noten consistentes al tacto. Déjelos enfriar en una rejilla metálica.

Recorte la parte superior de los cupcakes con un cuchillo de sierra. Mezcle las fresas con la confitura y repártalas entre los cupcakes. Añada un poco de nata montada. Cubra de nuevo los cupcakes y espolvoréelos con azúcar glas.

Cupcakes de café glaseados

PARA 16 UNIDADES

1 taza escasa de harina
con levadura

$1/2$ cucharadita de levadura
en polvo

$1/2$ taza de mantequilla
ablandada o margarina

$1/2$ taza de azúcar moreno

2 huevos un poco batidos

1 cucharada de café
soluble disuelto en
1 cucharada de agua
hirviendo y enfriado

2 cucharadas de nata
(crema) agria

GLASEADO

$1^3/_4$ tazas de azúcar glas
(impalpable)

4 cucharaditas de agua
templada

1 cucharada de café
soluble disuelto en
2 cucharadas de agua
hirviendo

Precaliente el horno a 190 °C. Coloque 16 moldes de papel en un molde múltiple para cupcakes.

Tamice la harina y la levadura en un bol grande. Añada la mantequilla, el azúcar y el huevo y bátalo con las varillas eléctricas hasta obtener una masa homogénea. Incorpore el café disuelto y la nata agria.

Reparta la pasta entre los moldes de papel. Cueza los cupcakes en el horno 20 minutos, o hasta que suban, se doren y se noten consistentes al tacto. Déjelos enfriar en una rejilla metálica.

Para preparar el glaseado, tamice $2/_3$ de taza del azúcar glas en un cuenco e incorpore el agua poco a poco. Tamice el azúcar restante en otro cuenco e incorpórele el café.

Introduzca el glaseado de café en una manga pastelera con boquilla fina. Reparta el glaseado neutro sobre los cupcakes de modo que queden bien cubiertos. Enseguida, dibuje unas líneas paralelas con el glaseado de café. Con un palillo, arrastre un poco las líneas en direcciones alternas para darles forma de espiga.

Mariposas de limón

PARA 12 UNIDADES

1 taza escasa de harina con levadura

$1/2$ cucharadita de levadura en polvo

$1/2$ taza de mantequilla ablandada o margarina

$1/2$ taza generosa de azúcar blanco

2 huevos un poco batidos

la ralladura fina de $1/2$ limón

2 cucharadas de leche

CREMA DE MANTEQUILLA

6 cucharadas de mantequilla sin sal ablandada

$1 1/3$ tazas de azúcar glas (impalpable), y un poco más para espolvorear

1 cucharada de zumo (jugo) de limón

Precaliente el horno a 190°C. Coloque 12 moldes de papel en un molde múltiple para cupcakes.

Tamice la harina y la levadura en un bol grande. Añada la mantequilla, el azúcar, el huevo, la ralladura de limón y la leche, y bátalo con las varillas eléctricas hasta obtener una masa homogénea.

Reparta la pasta entre los moldes de papel. Cueza los cupcakes en el horno de 15 a 20 minutos, o hasta que suban, se doren y se noten consistentes al tacto. Déjelos enfriar en una rejilla metálica.

Para preparar la crema de mantequilla, bata la mantequilla en un bol hasta que espume. Tamice el azúcar glas por encima, añada el zumo de limón y bátalo todo bien hasta obtener una crema homogénea.

Cuando los cupcakes se hayan enfriado, córteles la parte superior con un cuchillo de sierra y parta cada círculo por la mitad. Unte con un poco de crema de mantequilla la parte central de cada cupcake, o repártala con una manga pastelera, y disponga las 2 mitades semicirculares encima a modo de alas de mariposa. Espolvoree los cupcakes con azúcar glas.

Cupcakes con confitura de frambuesa

PARA 28 UNIDADES

1¹/₃ tazas de harina

1 cucharada de levadura en polvo

1 cucharada de polvos para natillas

³/₄ de taza de mantequilla ablandada o margarina

³/₄ generosos de taza de azúcar blanco

3 huevos un poco batidos

1 cucharadita de esencia de vainilla

¹/₄ de taza de confitura de frambuesa

azúcar glas (impalpable), para espolvorear

Precaliente el horno a 190 °C. Coloque 28 moldes de papel en un molde múltiple para cupcakes.

Tamice la harina, la levadura y los polvos para natillas en un bol grande. Añada la mantequilla, el azúcar, el huevo y la vainilla y bátalo con las varillas eléctricas hasta obtener una pasta homogénea.

Reparta la pasta entre los moldes de papel y añada ¹/₂ cucharadita de confitura en el centro de cada una, sin hundirla.

Cueza los cupcakes en el horno de 15 a 20 minutos, o hasta que suban, se doren y se noten consistentes al tacto. Déjelos enfriar en una rejilla metálica. Espolvoréelos con azúcar glas.

Mariquitas de chocolate

PARA 10 UNIDADES

1 taza escasa de harina
con levadura

$^1/_4$ de cucharadita
de levadura en polvo

$^1/_2$ taza de mantequilla
ablandada o margarina

$^1/_2$ taza generosa de azúcar
blanco

2 huevos grandes un poco
batidos

85 g de chocolate con
leche derretido

1 cucharada de leche

PARA ADORNAR

225 g de alcorza roja

azúcar glas (impalpable),
para espolvorear

2 cucharadas de confitura
de frambuesa

85 g de alcorza negra

tubos de glaseado negro
y blanco para dibujar

Precaliente el horno a 180 °C. Coloque 10 moldes
de papel en un molde múltiple para cupcakes.

Tamice la harina y la levadura en un bol grande. Añada
la mantequilla, el azúcar y el huevo y bátalo con las varillas
eléctricas hasta obtener una masa homogénea. Incorpore
el chocolate derretido y la leche.

Reparta la pasta entre los moldes de papel. Cueza los
cupcakes en el horno precalentado de 18 a 22 minutos,
hasta que suban y se noten consistentes al tacto. Déjelos
enfriar en una rejilla metálica.

Extienda la alcorza roja con el rodillo sobre la encimera
espolvoreada con azúcar glas hasta obtener una lámina de
5 mm de grosor. Corte 10 redondeles con un cortapastas
de 7 cm de diámetro. Si fuera necesario, junte los recortes
y amáselos de nuevo. Pinte los cupcakes con un poco de
confitura de frambuesa y disponga un redondel de alcorza
roja sobre cada una. Extienda la alcorza negra del mismo
modo y córtela en 10 óvalos para hacer las caras de las
mariquitas. Píntelos con un poco de agua
y póngalos encima de la alcorza roja.

Moldee los recortes de alcorza negra en forma de puntos
y péguelos con un poco de agua. Con el glaseado negro,
dibuje una línea para separar las alas y dos antenas en
cada cupcake. Con el glaseado blanco, dibuje los ojos
y una sonrisa en la cara de cada mariquita. Haga unas
bolitas con alcorza negra y colóquelas en los ojos.

Cupcakes veteados de chocolate

PARA 21 UNIDADES

1^1/$_3$ tazas generosas
de harina con levadura

^{3}/$_4$ de taza de mantequilla
ablandada o margarina

^{3}/$_4$ generosos de taza
de azúcar blanco

3 huevos un poco batidos

2 cucharadas de leche

55 g de chocolate negro
derretido

Precaliente el horno a 180°C. Coloque 21 moldes de papel
en un molde múltiple para cupcakes.

Tamice la harina en un bol grande. Añada la mantequilla,
el azúcar, el huevo y la leche y bátalo con las varillas
eléctricas hasta obtener una masa homogénea.

Repártala entre 2 boles. Eche el chocolate derretido en
uno de ellos y mézclelo bien. Rellene los moldes de papel
con cucharaditas alternas de los dos tipos de masa.

Cueza los cupcakes en el horno precalentado 20 minutos,
o hasta que suban y se noten consistentes al tacto.
Déjelos enfriar en una rejilla metálica.

Cupcakes rosas y blancos

PARA 16 UNIDADES

1 taza escasa de harina con levadura

1 cucharadita de levadura en polvo

$^1/_2$ taza de mantequilla ablandada o margarina

$^1/_2$ taza generosa de azúcar blanco

2 huevos un poco batidos

1 cucharada de leche

colorante alimentario rojo (opcional)

COBERTURA

1 clara de huevo

$^3/_4$ generosos de taza de azúcar blanco

2 cucharadas de agua caliente

1 buena pizca de crémor tártaro

2 cucharadas de confitura de frambuesa

2 cucharadas de coco rallado tostado

Precaliente el horno a 180°C. Coloque 16 moldes de papel en un molde múltiple para cupcakes.

Tamice la harina y la levadura en un bol grande. Añada la mantequilla, el azúcar y el huevo y bátalo con las varillas eléctricas hasta obtener una masa homogénea. Mezcle la leche con un poco de colorante rojo, si lo desea, e incorpórelo a la pasta.

Reparta la pasta entre los moldes de papel. Cueza los cupcakes en el horno 20 minutos, o hasta que suban, se doren y se noten consistentes al tacto. Déjelos enfriar en una rejilla metálica.

Para preparar la cobertura, ponga la clara de huevo con el azúcar, el agua y el crémor tártaro en un bol refractario encajado en la boca de un cazo con agua hirviendo, sin que llegue a tocarla. Bátalo 5 o 6 minutos con las varillas, hasta que las claras formen picos suaves.

Cuando los cupcakes se hayan enfriado, úntelos con la confitura de frambuesa y, después, con las claras. Esparza el coco tostado por encima.

Monos de chocolate

PARA 12 UNIDADES

$1/2$ taza de mantequilla ablandada o margarina

$1/2$ taza escasa de azúcar moreno

1 cucharada de miel

2 huevos un poco batidos

$3/4$ de taza de harina con levadura

2 cucharadas de cacao en polvo

PARA ADORNAR

350 g de alcorza de color marfil

colorante alimentario marrón

azúcar glas (impalpable), para espolvorear

2 cucharadas de crema de chocolate con avellanas

24 pastillas de chocolate

tubos de glaseado blanco y negro para dibujar

12 bolitas de chocolate recubiertas de caramelo marrones

Precaliente el horno a 180 °C. Coloque 12 moldes de papel en un molde múltiple para cupcakes.

Bata la mantequilla con el azúcar y la miel en un bol grande hasta que esté ligera y espumosa. Vierta el huevo poco a poco, sin dejar de batir. Tamice en otro cuenco la harina con el cacao en polvo e incorpórelos con una cuchara metálica.

Reparta la pasta entre los moldes de papel. Cueza los cupcakes en el horno precalentado de 15 a 20 minutos, hasta que suban y se noten consistentes al tacto. Déjelos enfriar en una rejilla metálica.

Tiña $2/3$ de la alcorza de color marfil de marrón claro con el colorante. Extiéndala con el rodillo sobre la encimera espolvoreada con azúcar glas hasta obtener una lámina de 5 mm de grosor. Corte 12 redondeles con un cortapastas de 7 cm de diámetro. Extienda la alcorza de color marfil restante del mismo modo y córtela en 24 redondeles pequeños con el extremo de una boquilla grande para manga pastelera. Amase los recortes y córtela en 12 óvalos.

Unte los cupcakes con una capa de crema de chocolate y coloque los redondeles de alcorza marrón encima. Pegue 2 redondeles y 1 óvalo de color marfil con un poco de agua como si fuera la cara de un mono. Con un poco de glaseado para escribir, pegue 2 pastillas de chocolate a cada lado a modo de orejas. Con el glaseado blanco y negro, dibuje los ojos y la boca y, para terminar, añada las bolitas de chocolate como si fueran la nariz.

Cupcakes de chocolate y guindas

PARA 12 UNIDADES

1 cucharadita de zumo (jugo) de limón

4 cucharadas de leche

1¼ tazas de harina con levadura

1 cucharada de cacao en polvo

½ cucharadita de bicarbonato

2 huevos un poco batidos

4 cucharadas de mantequilla ablandada o margarina

½ taza generosa de azúcar moreno

85 g de chocolate negro derretido

3 cucharadas de guindas secas azucaradas

PARA ADORNAR

2 cucharadas de licor de cereza (opcional)

⅔ de taza de nata (crema) extragrasa un poco montada

5 cucharadas de confitura de cereza

cacao en polvo, para espolvorear

Precaliente el horno a 180 °C. Coloque 12 moldes de papel en un molde múltiple para cupcakes.

Mezcle el zumo de limón con la leche y espere 10 minutos para que la leche empiece a cortarse.

Tamice la harina, el cacao y el bicarbonato en un bol grande. Añada el huevo, la mantequilla, el azúcar y la leche aromatizada y bátalo con las varillas eléctricas hasta obtener una masa homogénea. Incorpore el chocolate derretido y las guindas.

Reparta la pasta entre los moldes de papel. Cueza los cupcakes en el horno precalentado de 20 a 25 minutos, o hasta que suban y se noten consistentes al tacto. Déjelos enfriar en una rejilla metálica.

Cuando los cupcakes se hayan enfriado, córteles la parte superior con un cuchillo de sierra. Si lo desea, rocíelos con el licor de cereza. Reparta la nata montada por el centro y añada 1 cucharadita de confitura de cereza en cada uno. Tápelos de nuevo con la parte cortada y espolvoréelos con un poco de cacao en polvo.

Cupcakes de limón con merengue

PARA 4 UNIDADES

6 cucharadas de mantequilla ablandada o margarina, y un poco más para untar

$1/2$ taza escasa de azúcar blanco

la ralladura fina y el zumo (jugo) de $1/2$ limón

1 huevo grande un poco batido

$2/3$ de taza de harina con levadura

2 cucharadas de crema de limón

MERENGUE

2 claras de huevo

$1/2$ taza generosa de azúcar blanco

Precaliente el horno a 190 °C. Unte con mantequilla 4 moldes de 1 taza de capacidad.

Bata la mantequilla con el azúcar y la ralladura de limón en un bol grande hasta obtener una crema ligera y espumosa. Vierta el huevo poco a poco, sin dejar de batir. Tamice la harina por encima y, con una cuchara metálica, incorpórela con suavidad con el zumo de limón.

Reparta la pasta entre los moldes y póngalos en la bandeja del horno. Cueza los cupcakes en el horno 15 minutos, o hasta que suban, se doren y se noten consistentes al tacto.

Mientras se cuecen los cupcakes, prepare el merengue. Ponga las claras en un bol limpio y móntelas a punto de nieve con unas varillas eléctricas. Incorpore el azúcar poco a poco hasta que las claras adquieran una consistencia rígida y satinada.

Unte los cupcakes calientes con la crema de limón y, después, reparta la clara montada por encima en forma de remolino. Devuélvalos al horno 4 o 5 minutos más, hasta que el merengue esté dorado. Sírvalos enseguida.

Ramo de cupcakes

PARA 16 UNIDADES

1 taza generosa de harina con levadura

¹/₄ de cucharadita de levadura en polvo

¹/₂ taza de mantequilla ablandada o margarina

¹/₂ taza generosa de azúcar blanco

2 huevos un poco batidos

¹/₂ vaina de vainilla

2 cucharadas de leche

CREMA DE MANTEQUILLA

³/₄ de taza de mantequilla sin sal ablandada

1 cucharadita de esencia de vainilla

2³/₄ tazas de azúcar glas (impalpable)

colorante rosa y lila

PARA EL MONTAJE

1 cuadrado de espuma de florista de 12 cm

papel de seda blanco y rosa

brochetas de 15 cm

hojas de laurel fresco

cinta decorativa

Precaliente el horno a 180°C. Coloque 16 moldes de papel en un molde múltiple para cupcakes.

Tamice la harina y la levadura en un bol grande. Añada la mantequilla, el azúcar, el huevo, la pulpa de la vainilla y la leche y bátalo con las varillas eléctricas hasta obtener una masa homogénea.

Repártala entre los moldes de papel. Cueza los cupcakes en el horno de 15 a 20 minutos, o hasta que suban, se doren y se noten consistentes al tacto. Déjelos enfriar en una rejilla metálica.

Para preparar la crema de mantequilla, bata la mantequilla con la vainilla en un bol con las varillas eléctricas 2 o 3 minutos, hasta que esté blanquecina y cremosa. Incorpore el azúcar glas tamizado poco a poco y siga batiendo 2 o 3 minutos más, hasta obtener una crema ligera y espumosa. Repártala entre dos boles y mezcle una porción con el colorante rosa y la otra, con el lila.

Introduzca la crema de mantequilla en una manga pastelera grande con boquilla mediana de estrella. Adorne 8 cupcakes con remolinos de cobertura rosa y los restantes con remolinos de cobertura lila. Refrigérelos 30 minutos.

Para montar el ramo, recorte los extremos del cuadrado de espuma para redondearlo. Envuélvalo en papel de seda blanco y encájelo en la boca de una maceta. Clave dos brochetas en la base de cada cupcake y, después, en la espuma. Rellene los huecos que queden entre los cupcakes con hojas de laurel. Envuelva el ramo con papel de seda rosa y átelo con cinta decorativa.

Golosos

Cupcakes con frutos rojos escarchados

PARA 12 UNIDADES

$^1/_2$ taza de mantequilla ablandada o margarina

$^1/_2$ taza generosa de azúcar blanco

2 cucharaditas de agua de azahar

2 huevos grandes un poco batidos

$^1/_2$ taza generosa de almendra molida

1 taza escasa de harina con levadura

2 cucharadas de leche

COBERTURA

300 g de mascarpone

$^1/_2$ taza escasa de azúcar blanco

4 cucharadas de zumo (jugo) de naranja

PARA ADORNAR

2$^1/_2$ tazas de frutos rojos azucarados (véase la página 42)

unas hojas de menta azucaradas (véase la página 42)

Precaliente el horno a 180 °C. Coloque moldes de papel en un molde múltiple para 12 cupcakes.

Bata la mantequilla con el azúcar y el agua de azahar en un bol grande hasta obtener una crema ligera y espumosa. Vierta el huevo poco a poco, sin dejar de batir. Incorpore la almendra. Tamice la harina por encima y, con una cuchara metálica, incorpórela con suavidad con la leche.

Reparta la pasta entre los moldes de papel. Cueza los cupcakes en el horno de 15 a 20 minutos, o hasta que suban, se doren y se noten consistentes al tacto. Déjelos enfriar en una rejilla metálica.

Para preparar la cobertura, bata el mascarpone con el azúcar y el zumo de naranja en un bol hasta obtener una crema homogénea.

Unte los cupcakes con la cobertura y adórnelos con los frutos rojos y las hojas de menta azucarados.

Cupcakes de chocolate y queso cremoso

PARA 12 UNIDADES

1$\frac{1}{3}$ tazas de harina

$\frac{1}{4}$ escaso de taza de cacao en polvo

$\frac{3}{4}$ de cucharadita de bicarbonato

1 taza de azúcar blanco

4 cucharadas de aceite de girasol

$\frac{3}{4}$ de taza de agua

2 cucharaditas de vinagre blanco destilado

$\frac{1}{2}$ cucharadita de esencia de vainilla

$\frac{2}{3}$ de taza de queso cremoso

1 huevo un poco batido

$\frac{1}{2}$ taza de pepitas de chocolate negro

Precaliente el horno a 180 °C. Coloque 12 moldes de papel en un molde múltiple para cupcakes.

Tamice la harina con el cacao y el bicarbonato en un bol grande. Incorpore $\frac{3}{4}$ de taza del azúcar. Añada el aceite, el agua, el vinagre y la vainilla y mézclelo bien.

En otro bol grande, bata el azúcar restante con el queso y el huevo hasta obtener una crema homogénea. Incorpore las pepitas de chocolate.

Reparta la pasta de los cupcakes entre los moldes de papel y añada 1 cucharada sopera de la cobertura a cada porción. Cueza los cupcakes en el horno precalentado de 20 a 25 minutos, o hasta que suban y se noten consistentes al tacto. Déjelos enfriar en una rejilla metálica.

Cupcakes con crema de merengue

PARA 12 UNIDADES

6 cucharadas de mantequilla ablandada o margarina

$1/4$ de taza de azúcar moreno

1 cucharada de sirope de maíz (elote, choclo)

1 huevo grande un poco batido

$3/4$ de taza de harina con levadura

1 cucharadita de nuez moscada recién rallada

2 cucharadas de leche

COBERTURA

$1/2$ taza generosa de azúcar moreno

la clara de 1 huevo mediano

1 cucharada de agua caliente

1 pizca de crémor tártaro

Precaliente el horno a 180 °C. Coloque moldes de papel en un molde múltiple para 12 cupcakes.

Bata la mantequilla con el azúcar y el sirope de maíz en un bol grande hasta que esté ligera y espumosa. Vierta el huevo poco a poco, sin dejar de batir. Tamice la harina y la nuez moscada por encima y, con una cuchara metálica, incorpórelas con la leche.

Reparta la pasta entre los moldes de papel. Cueza los cupcakes en el horno de 15 a 20 minutos, o hasta que suban, se doren y se noten consistentes al tacto. Déjelos enfriar en una rejilla metálica.

Para preparar la cobertura, ponga todos los ingredientes en un bol encajado en la boca de un cazo con agua hirviendo, sin que llegue a tocarla. Bátalo 5 o 6 minutos con las varillas, hasta obtener unas claras espesas que formen picos suaves al retirarlas. Unte los cupcakes con la cobertura.

Cupcakes de terciopelo rojo

PARA 12 UNIDADES

1 taza generosa de harina

1 cucharadita
de bicarbonato

2 cucharadas de cacao
en polvo

$^1/_2$ taza de mantequilla
ablandada o margarina

$^3/_4$ escasos de taza
de azúcar blanco

1 huevo grande batido

$^1/_2$ taza de suero
de mantequilla

1 cucharadita de esencia
de vainilla

1 cucharada de colorante
alimentario rojo líquido

COBERTURA

$^2/_3$ de taza de queso
cremoso

6 cucharadas de
mantequilla sin sal
ablandada

$2^1/_4$ tazas de azúcar glas
(impalpable)

PARA ADORNAR

$^1/_4$ de taza de azúcar blanco

colorante alimentario rojo
en pasta

Precaliente el horno a 180 °C. Coloque 12 moldes de papel en un molde múltiple para cupcakes.

Tamice la harina con el bicarbonato y el cacao. En otro bol grande, bata la mantequilla con el azúcar hasta obtener una crema ligera y espumosa. Sin dejar de batir, añada poco a poco el huevo y la mitad de los ingredientes tamizados. Incorpore el suero de mantequilla, la vainilla y el colorante líquido. Añada los ingredientes tamizados restantes y mézclelo bien.

Reparta la pasta entre los moldes de papel. Cueza los cupcakes en el horno precalentado de 15 a 20 minutos, o hasta que suban y adquieran consistencia. Déjelos enfriar en una rejilla metálica.

Para preparar la cobertura, mezcle el queso y la mantequilla con una espátula en un bol. Tamice el azúcar glas por encima y bátalo hasta obtener una crema homogénea.

Ponga el azúcar granulado y un poco de colorante rojo en pasta en una bolsa de plástico. Frote la bolsa entre los dedos hasta que queden bien mezclados. Unte los cupcakes con la cobertura y adórnelos con el azúcar teñido de rojo.

Cupcakes de fudge y pasas

PARA 10 UNIDADES

115 g de fudge a la vainilla troceado

1 cucharada de leche

6 cucharadas de mantequilla ablandada o margarina

$1/4$ escaso de taza de azúcar moreno

1 huevo grande un poco batido

$3/4$ de taza de harina con levadura

3 cucharadas de pasas

Precaliente el horno a 190 °C. Coloque 10 moldes de papel en un molde múltiple para cupcakes.

Ponga la mitad del fudge y toda la leche en un bol refractario, encájelo en la boca de un cazo con agua hirviendo a fuego lento, sin que llegue a tocarla, y caliéntelo hasta que se derrita. Apártelo del fuego y remueva hasta que esté homogéneo. Déjelo enfriar 10 minutos.

Bata la mantequilla con el azúcar en un bol grande hasta obtener una crema ligera y espumosa. Vierta el huevo poco a poco, sin dejar de batir. Tamice la harina y, con una cuchara metálica, incorpórela a la crema con las pasas. Incorpore el fudge derretido.

Reparta la pasta entre los moldes de papel. Esparza los trozos de fudge restantes sobre los cupcakes. Cuézalos en el horno de 15 a 20 minutos, o hasta que suban, se doren y se noten consistentes al tacto. Déjelos enfriar en una rejilla metálica.

Cupcakes de jengibre

PARA 30 UNIDADES

1^1/$_3$ tazas generosas
de harina

1 cucharada de levadura
en polvo

2 cucharaditas de jengibre
molido

1 cucharadita de canela
molida

^{3}/$_4$ de taza de mantequilla
ablandada o margarina

1 taza escasa de azúcar
moreno

3 huevos un poco batidos

1 cucharadita de esencia
de vainilla

jengibre confitado picado,
para adornar

CREMA DE MANTEQUILLA

6 cucharadas de
mantequilla sin sal
ablandada

3 cucharadas de zumo
(jugo) de naranja

1^1/$_4$ tazas de azúcar glas
(impalpable)

Precaliente el horno a 190 °C. Coloque 30 moldes
de papel en un molde múltiple para cupcakes.

Tamice la harina, la levadura, el jengibre y la canela en un
bol grande. Añada la mantequilla, el azúcar, el huevo y la
vainilla y bátalo con las varillas eléctricas hasta obtener una
masa homogénea.

Reparta la pasta entre los moldes de papel. Cueza los
cupcakes en el horno de 15 a 20 minutos, o hasta que
suban, se doren y se noten consistentes al tacto. Déjelos
enfriar en una rejilla metálica.

Para preparar la crema de mantequilla, bata la mantequilla
con el zumo de naranja en un bol con las varillas eléctricas
hasta que esté homogénea. Tamice el azúcar glas por
encima y siga batiendo hasta obtener una crema ligera
y espumosa. Reparta la cobertura entre los cupcakes y
adórnelos con el jengibre confitado.

Cupcakes con nata y salsa de chocolate

PARA 12 UNIDADES

$^3/_4$ de taza de mantequilla ablandada o margarina

1 taza escasa de azúcar blanco

3 huevos un poco batidos

1 cucharadita de esencia de vainilla

$^2/_3$ escasos de taza de harina

$1^1/_2$ cucharaditas de levadura en polvo

$^1/_4$ de taza de cerezas confitadas picadas

SALSA DE CHOCOLATE

85 g de chocolate negro troceado

2 cucharadas de mantequilla

1 cucharada de sirope de maíz (elote, choclo)

PARA ADORNAR

$2^1/_2$ tazas de nata (crema) extragrasa

2 cucharadas de frutos secos tostados picados

azúcar rosa

12 cerezas al marrasquino

Precaliente el horno a 160°C. Coloque 12 moldes de papel en un molde múltiple para cupcakes.

Bata la mantequilla con el azúcar en un bol grande hasta obtener una crema ligera y espumosa. Incorpore el huevo poco a poco y, después, la vainilla. Tamice la harina con la levadura e incorpórelas con una cuchara metálica. Añada las cerezas confitadas y remueva.

Reparta la pasta entre los moldes de papel. Cueza los cupcakes en el horno de 25 a 30 minutos, o hasta que suban, se doren y se noten consistentes al tacto. Déjelos enfriar en una rejilla metálica.

Para preparar la salsa de chocolate, ponga el chocolate, la mantequilla y el sirope de maíz en un bol refractario. Encaje el bol en la boca de un cazo con agua hirviendo a fuego lento, sin que llegue a tocarla, y caliéntelo hasta que se derrita. Apártelo del calor y remueva hasta obtener una textura homogénea. Deje enfriar la salsa de 20 a 30 minutos, removiendo de vez en cuando.

Monte la nata. Introdúzcala en una manga pastelera con boquilla grande de estrella y repártala en forma de remolino sobre los cupcakes. Rocíela con la salsa de chocolate y esparza los frutos secos picados y el azúcar rosa por encima. Adorne cada cupcake con una cereza al marrasquino.

Cupcakes con salsa de mantequilla

PARA 28 UNIDADES

1¹/₃ tazas generosas de harina

1 cucharada de levadura en polvo

³/₄ de taza de mantequilla ablandada o margarina

1 taza escasa de azúcar moreno

3 huevos un poco batidos

1 cucharadita de esencia de vainilla

COBERTURA

2 cucharada de sirope de maíz (elote, choclo)

2 cucharadas de mantequilla sin sal

2 cucharadas de azúcar moreno

Precaliente el horno a 190 °C. Coloque 28 moldes de papel en un molde múltiple para cupcakes.

Tamice la harina y la levadura en un bol grande. Añada la mantequilla, el azúcar, el huevo y la vainilla y bátalo con las varillas eléctricas hasta obtener una masa homogénea.

Reparta la pasta entre los moldes de papel. Cueza los cupcakes en el horno de 15 a 20 minutos, o hasta que suban, se doren y se noten consistentes al tacto. Déjelos enfriar en una rejilla metálica.

Para preparar la cobertura, caliente en un cazo a fuego lento el sirope de maíz con la mantequilla y el azúcar, sin dejar de remover, hasta que este último se disuelva. Llévelo a ebullición y cuézalo, removiendo, alrededor de 1 minuto. Rocíe los cupcakes con la cobertura y deje que cuaje.

Cupcakes con crema de café

PARA 28 UNIDADES

1¹/₃ tazas generosas
de harina

1 cucharada de levadura
en polvo

³/₄ de taza de mantequilla
ablandada o margarina

1 taza escasa de azúcar
blanco

3 huevos un poco batidos

1 cucharadita de esencia
de café

2 cucharadas de leche

28 granos de café
recubiertos de chocolate,
para adornar

COBERTURA

4 cucharadas de
mantequilla sin sal
ablandada

¹/₂ taza generosa de azúcar
moreno

2 cucharadas de nata
líquida (crema de leche)
o leche

¹/₂ cucharadita de esencia
de café

3¹/₄ tazas de azúcar glas
(impalpable)

Precaliente el horno a 190 °C. Coloque 28 moldes
de papel en un molde múltiple para cupcakes.

Tamice la harina y la levadura en un bol grande.
Añada la mantequilla, el azúcar, el huevo y la esencia de
café y bátalo con las varillas eléctricas hasta obtener una
masa homogénea. Incorpore la leche.

Reparta la pasta entre los moldes de papel. Cueza los
cupcakes en el horno de 15 a 20 minutos, o hasta que
suban, se doren y se noten consistentes al tacto. Déjelos
enfriar en una rejilla metálica.

Para preparar la cobertura, caliente en un cazo a fuego
medio la mantequilla con el azúcar, la nata y la esencia
de café sin dejar de remover hasta obtener una crema
homogénea. Llévela a ebullición y cuézala, removiendo,
alrededor de 2 minutos. Aparte el cazo del fuego y tamice
el azúcar glas por encima. Remueva la cobertura hasta que
esté homogénea y espesa.

Introdúzcala en una manga pastelera grande con boquilla
grande de estrella. Repártala en forma de roseta entre los
cupcakes y adórnelos con un grano de café recubierto de
chocolate cada uno.

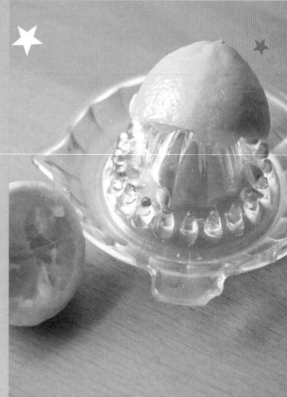

Cupcakes de limonada

PARA 10 UNIDADES

1 taza escasa de harina
con levadura

$\frac{1}{4}$ de cucharadita
de levadura en polvo

$\frac{1}{2}$ taza de mantequilla
ablandada o margarina

$\frac{1}{2}$ taza generosa de azúcar
blanco extrafino

2 huevos grandes batidos

colorante alimentario rosa

$\frac{1}{4}$ de taza de azúcar blanco

el zumo (jugo) de 1 limón
pequeño

CREMA DE MANTEQUILLA

$\frac{1}{2}$ taza de mantequilla
sin sal ablandada

el zumo (jugo) y la
ralladura de $\frac{1}{2}$ limón

4 cucharadas de nata
(crema) extragrasa

$1\frac{3}{4}$ tazas de azúcar glas
(impalpable)

colorante alimentario rosa

PARA ADORNAR

confites rosas, blancos
y rojos

10 pajillas rosas
o amarillas

Precaliente el horno a 180 °C. Coloque 10 moldes
de papel en un molde múltiple para cupcakes.

Tamice la harina y la levadura en un bol grande. Añada la
mantequilla, el azúcar y el huevo y bátalo con las varillas
eléctricas hasta obtener una pasta homogénea. Incorpore
un poco de colorante para teñir la pasta de rosa claro.

Reparta la pasta entre los moldes de papel. Cueza los
cupcakes en el horno precalentado de 15 a 20 minutos,
o hasta que suban y se noten consistentes al tacto.

Mientras tanto, ponga el azúcar con el zumo de limón
en un cazo de base gruesa y caliéntelo a fuego lento,
sin dejar de remover, hasta que se disuelva. Déjelo enfriar
15 minutos. Pinche varias veces los cupcakes con un palillo
y rocíelos con el jarabe de limón. Déjelos enfriar en una
rejilla metálica.

Para preparar la crema de mantequilla, bata la mantequilla
con el zumo y la ralladura de limón en un bol con
las varillas eléctricas 2 o 3 minutos, hasta que esté
blanquecina y cremosa. Incorpore la nata y el azúcar glas
tamizado poco a poco, sin dejar de batir 2 o 3 minutos,
hasta obtener una crema ligera y espumosa. Añada un
poco de colorante para teñirla de rosa claro.

Con una espátula pequeña, unte los cupcakes con una
capa gruesa de crema de mantequilla. Esparza unos
confites por el centro de 5 cupcakes y reboce el contorno
de los restantes con más confites. Recorte las pajillas hasta
que tengan 8 cm de longitud y clávelas en medio de los
cupcakes.

Cupcakes de melocotón con nata

PARA 12 UNIDADES

400 g de melocotón (durazno) en almíbar

$1/2$ taza de mantequilla ablandada o margarina

$1/2$ taza generosa de azúcar blanco

2 huevos un poco batidos

1 taza escasa de harina con levadura

$2/3$ de taza de nata (crema) extragrasa

Precaliente el horno a 180 °C. Coloque 12 moldes de papel en un molde múltiple para cupcakes.

Escurra el melocotón, reservando el almíbar. Reserve 12 trocitos para adornar los cupcakes y pique el resto.

Bata la mantequilla con el azúcar en un bol grande hasta obtener una crema ligera y espumosa. Vierta el huevo poco a poco, sin dejar de batir. Tamice la harina por encima e incorpórela con suavidad con una cuchara metálica. Agregue el melocotón picado y 1 cucharada del almíbar.

Reparta la pasta entre los moldes de papel. Cueza los cupcakes en el horno 25 minutos, o hasta que suban, se doren y se noten consistentes al tacto. Déjelos enfriar en una rejilla metálica.

Monte la nata y repártala por encima de los cupcakes con una espátula pequeña. Adórnelos con los trocitos de melocotón reservados.

Cupcakes de queso al limón

PARA 12 UNIDADES

4¹/₂ cucharadas de mantequilla ablandada o margarina

1 taza de galletas integrales desmenuzadas

¹/₂ taza escasa de azúcar blanco

1¹/₄ tazas de queso cremoso

2 huevos grandes un poco batidos

la ralladura fina de 1 limón grande

2 cucharaditas de zumo (jugo) de limón

¹/₂ taza de nata (crema) agria

¹/₄ de taza de harina

2 limones pequeños en rodajas finas, para adornar

Precaliente el horno a 160°C. Coloque 12 moldes de papel en un molde múltiple para cupcakes.

Derrita la mantequilla en un cazo a fuego lento. Apártela del calor y mézclela con las galletas desmenuzadas y 1 cucharada del azúcar. Reparta la pasta de galleta entre los moldes de papel y presiónela bien con el dorso de una cuchara. Refrigere la base de los cupcakes.

Mientras tanto, bata el azúcar restante con el queso y el huevo en un bol grande hasta obtener una crema homogénea. Incorpore la ralladura y el zumo de limón y la nata. Añada la harina y mézclelo bien.

Reparta la crema entre los moldes de papel. Cueza los cupcakes en el horno precalentado 30 minutos, o hasta que empiecen a cuajar pero sin que tomen color. Déjelos enfriar en una rejilla metálica.

Cuando los cupcakes se hayan enfriado, refrigérelos al menos 3 horas. Adórnelos con una rodaja de limón retorcida cada uno.

Cupcakes tres gustos

PARA 12 UNIDADES

1 taza generosa de harina
con levadura

$1/2$ cucharadita de levadura
en polvo

$1/2$ taza generosa de
mantequilla ablandada
o margarina

$3/4$ de taza de azúcar blanco

2 huevos grandes batidos

1 cucharadita de esencia
de vainilla

1 cucharada de leche

1 cucharada de cacao
en polvo diluida en
$1 1/2$ cucharadas de agua
caliente

COBERTURA

$3/4$ de taza de queso
cremoso

$1/2$ taza de mantequilla
sin sal ablandada

$2 3/4$ tazas de azúcar glas
(impalpable)

1 cucharada de confitura
de fresa (frutilla)

colorante alimentario rosa

PARA ADORNAR

fideos de chocolate y
24 triángulos de barquillo

Precaliente el horno a 180 °C. Coloque 12 moldes
de papel en un molde múltiple para cupcakes.

Tamice la harina y la levadura en un bol grande. Añada la
mantequilla, el azúcar y el huevo y bátalo con las varillas
eléctricas hasta obtener una pasta homogénea.

Repártala entre 2 boles. Mezcle una de las porciones
con la vainilla y la leche y, la otra, con el cacao desleído.

Rellene los moldes de papel con cucharaditas alternas
de los dos tipos de masa. Cueza los cupcakes en el horno
precalentado de 15 a 20 minutos, o hasta que suban y se
noten consistentes al tacto. Déjelos enfriar en una rejilla
metálica.

Para preparar la cobertura, mezcle el queso y la
mantequilla con una espátula en un bol. Tamice el azúcar
glas por encima y bátalo hasta obtener una crema
homogénea. Reparta la cobertura entre 2 boles y mezcle
una de las porciones con la confitura de fresa y un poco
de colorante rosa. Refrigere los dos boles 30 minutos.

Introduzca cucharadas alternas de los dos tipos de
cobertura en una manga pastelera grande con boquilla
grande de estrella. Repártala en forma de remolinos
sobre los cupcakes. Adórnelos con fideos de chocolate
y 2 triángulos de barquillo cada uno.

111

Cupcakes de dátiles al caramelo

PARA 6 UNIDADES

$^1/_2$ taza de dátiles
sin hueso (carozo) picados

$^1/_2$ cucharadita
de bicarbonato

$^1/_2$ taza escasa de agua

6 cucharadas de
mantequilla ablandada
o margarina, y un poco
más para untar

$^1/_2$ taza escasa de azúcar
moreno

1 cucharadita de esencia
de vainilla

2 huevos un poco batidos

1 taza escasa de harina
con levadura

nata (crema) montada,
para acompañar

SALSA DE CARAMELO

$^1/_2$ taza escasa de azúcar
moreno

4 cucharadas
de mantequilla

4 cucharadas de nata
(crema) extragrasa

Precaliente el horno a 180°C. Unte con mantequilla 6 moldes de $^2/_3$ de taza de capacidad.

En un cazo, lleve a ebullición los dátiles con el bicarbonato y el agua. Apártelo del fuego y déjelo enfriar.

Bata la mantequilla con el azúcar y la vainilla en un bol grande hasta que esté ligera y espumosa. Vierta el huevo poco a poco, sin dejar de batir. Tamice la harina por encima e incorpórela con una cuchara metálica, seguida de los dátiles enfriados.

Reparta la pasta entre los moldes y póngalos en la bandeja del horno. Cueza los cupcakes en el horno precalentado de 20 a 25 minutos, o hasta que suban y se noten consistentes al tacto.

Para preparar la salsa de caramelo, caliente todos los ingredientes en un cazo hasta que la mantequilla se derrita. Déjela al fuego 5 minutos, removiendo de vez en cuando. Pinche toda la superficie de los cupcakes templados con un palillo y rocíelas con un poco de salsa de caramelo. Adórnelos con un poco de nata montada y sírvalos con la salsa restante.

Cupcakes templados de chocolate

PARA 8 UNIDADES

²/₃ de taza de harina con levadura

1 cucharada de cacao en polvo

4 cucharadas de mantequilla ablandada o margarina

¹/₄ de taza de azúcar blanco

1 huevo grande un poco batido

55 g de chocolate negro

azúcar glas (impalpable), para espolvorear

Precaliente el horno a 190 °C. Coloque 8 moldes de papel en un molde múltiple para cupcakes.

Tamice la harina y el cacao en un bol grande. Añada la mantequilla, el azúcar y el huevo y bátalo con las varillas eléctricas hasta obtener una masa homogénea.

Reparta la mitad de la pasta entre los moldes de papel. Haga un hueco en el centro de cada cupcake con una cucharilla. Parta el chocolate en 8 trozos iguales e introdúzcalos en los huecos. Acabe de rellenar los moldes con la pasta.

Cueza los cupcakes en el horno precalentado 20 minutos, o hasta que suban y se noten consistentes al tacto. Déjelos reposar 2 o 3 minutos en el molde y sírvalos templados, espolvoreados con azúcar glas.

Cupcakes de tiramisú

PARA 12 UNIDADES

1 taza escasa de harina con levadura

1/2 cucharadita de levadura en polvo

1/2 taza de mantequilla ablandada o margarina

1/2 taza de azúcar moreno

2 huevos un poco batidos

2 cucharadas de chocolate negro bien rallado, para adornar

JARABE DE CAFÉ

2 cucharaditas de café soluble

2 cucharadas de azúcar glas (impalpable)

4 cucharadas de agua

COBERTURA

225 g de mascarpone

1/2 taza escasa de azúcar blanco

2 cucharadas de marsala o jerez dulce

Precaliente el horno a 180 °C. Coloque 12 moldes de papel en un molde múltiple para cupcakes.

Tamice la harina y la levadura en un bol grande. Añada la mantequilla, el azúcar y el huevo y bátalo con las varillas eléctricas hasta obtener una masa homogénea.

Reparta la pasta entre los moldes de papel. Cueza los cupcakes en el horno de 15 a 20 minutos, o hasta que suban, se doren y se noten consistentes al tacto.

Mientras tanto, prepare el jarabe de café. Caliente en un cazo a fuego lento el café soluble con el azúcar glas y el agua hasta que se disuelvan. Hiérvalo 1 minuto y déjelo reposar 10 minutos.

Pinche varias veces los cupcakes con un palillo y rocíelos con el jarabe de café. Déjelos enfriar en una rejilla metálica.

Para preparar la cobertura, bata el mascarpone con el azúcar y el marsala en un bol hasta obtener una crema homogénea. Extiéndala sobre los cupcakes. Disponga una plantilla en forma de estrella sobre los cupcakes y esparza el chocolate rallado por encima.

Con
chocolate

Cupcakes con crema de chocolate

PARA 14 UNIDADES

1 taza escasa de harina
con levadura

$1/2$ cucharadita de levadura
en polvo

$1^1/2$ cucharadas de cacao
en polvo

$1/2$ taza de mantequilla
ablandada o margarina

$1/2$ taza generosa de azúcar
blanco

2 huevos grandes un poco
batidos

55 g de chocolate negro
derretido

COBERTURA

150 g de chocolate negro
picado

1 taza escasa de nata
(crema) extragrasa

$3/4$ escasos de taza
de mantequilla sin sal
ablandada

$2^1/4$ tazas de azúcar glas
(impalpable)

PARA ADORNAR

dibujos de chocolate
(véase la página 37)

grageas doradas

Precaliente el horno a 180°C. Coloque 14 moldes de papel en un molde múltiple para cupcakes.

Tamice la harina, la levadura y el cacao en un bol grande. Añada la mantequilla, el azúcar y el huevo y bátalo con las varillas eléctricas hasta obtener una masa homogénea. Incorpore el chocolate derretido.

Reparta la pasta entre los moldes de papel. Cueza los cupcakes en el horno precalentado de 15 a 20 minutos, o hasta que suban y se noten consistentes al tacto. Déjelos enfriar en una rejilla metálica.

Para preparar la cobertura, ponga el chocolate en un bol refractario. Lleve la nata a ebullición en un cazo. Échela sobre el chocolate y remueva hasta obtener una crema homogénea. Déjela enfriar 20 minutos, removiendo de vez en cuando, hasta que se espese. Ponga la mantequilla en un bol, tamice el azúcar glas por encima y bátala hasta que esté homogénea. Incorpore la crema de chocolate. Refrigere la cobertura de 15 a 20 minutos.

Introduzca la cobertura en una manga pastelera con boquilla grande de estrella y repártala en forma de remolinos sobre los cupcakes. Adórnelos con dibujos de chocolate y grageas doradas.

Brownies

PARA 12 UNIDADES

225 g de chocolate negro troceado

6 cucharadas de mantequilla ablandada o margarina

2 huevos grandes un poco batidos

1 taza de azúcar moreno

1 cucharadita de esencia de vainilla

1 taza generosa de harina

$^2/_3$ de taza de nueces picadas

Precaliente el horno a 180 °C. Coloque 12 moldes de papel en un molde múltiple para cupcakes.

Caliente el chocolate y la mantequilla en un cazo a fuego lento, sin dejar de remover, hasta que se derritan. Apártelo del fuego y remueva hasta obtener una crema homogénea. Déjela enfriar un poco.

Bata el huevo con el azúcar en un bol grande y añada la vainilla. Tamice la harina por encima, incorpórela con suavidad y, después, añada la crema de chocolate y remueva. Incorpore las nueces picadas.

Reparta la pasta entre los moldes de papel. Cueza los brownies en el horno precalentado 30 minutos, o hasta que adquieran consistencia por fuera pero estén esponjosos por dentro. Déjelos enfriar en una rejilla metálica.

Cupcakes de chocolate blanco y negro

PARA 18 UNIDADES

85 g de chocolate blanco troceado

1 cucharada de leche

1 taza escasa de harina con levadura

1/2 cucharadita de levadura en polvo

1/2 taza de mantequilla ablandada o margarina

1/2 taza generosa de azúcar blanco

2 huevos un poco batidos

1 cucharadita de esencia de vainilla

COBERTURA

140 g de chocolate con leche troceado

18 pastillas de chocolate blanco

Precaliente el horno a 190 °C. Coloque 18 moldes de papel en un molde múltiple para cupcakes.

Ponga el chocolate blanco en un bol refractario y añada la leche. Encaje el bol en la boca de un cazo con agua hirviendo a fuego lento, sin que llegue a tocarla, y remueva hasta que se derrita. Apártelo del fuego y remuévalo hasta obtener una crema homogénea.

Tamice la harina y la levadura en un bol grande. Añada la mantequilla, el azúcar, el huevo y la vainilla y bátalo con las varillas eléctricas hasta obtener una masa homogénea. Incorpore la crema de chocolate blanco.

Reparta la pasta entre los moldes de papel. Cueza los cupcakes en el horno 20 minutos, o hasta que suban, se doren y se noten consistentes al tacto. Déjelos enfriar en una rejilla metálica.

Para preparar la cobertura, ponga el chocolate en un bol refractario y encájelo en la boca de un cazo con agua hirviendo a fuego lento, sin que llegue a tocarla, hasta que se derrita. Déjelo enfriar 5 minutos y, después, extiéndalo sobre los cupcakes. Adórnelos con una pastilla de chocolate blanco cada uno.

Cupcakes de moca

PARA 20 UNIDADES

2 cucharadas de café soluble

6 cucharadas de mantequilla ablandada o margarina

½ taza escasa de azúcar blanco

1 cucharada de miel

1 taza escasa de agua

1³/₄ tazas de harina

2 cucharadas de cacao en polvo

1 cucharadita de bicarbonato

3 cucharadas de leche

1 huevo grande un poco batido

COBERTURA

1 taza de nata (crema) extragrasa

cacao en polvo, para espolvorear

Precaliente el horno a 180°C. Coloque 20 moldes de papel en un molde múltiple para cupcakes.

Caliente el café con la mantequilla, el azúcar, la miel y el agua en un cazo a fuego lento, sin dejar de remover, hasta que el azúcar se disuelva. Llévelo a ebullición, baje el fuego y déjelo hervir a fuego lento 5 minutos. Viértalo en un bol refractario grande y déjelo enfriar.

Cuando se haya enfriado, tamice la harina y el cacao por encima. Disuelva el bicarbonato en la leche e incorpórelo también, así como el huevo.

Reparta la pasta entre los moldes de papel. Cueza los cupcakes en el horno precalentado de 15 a 20 minutos, o hasta que suban y se noten consistentes al tacto. Déjelos enfriar en una rejilla metálica.

Para preparar la cobertura, monte la nata. Ponga 1 cucharadita de nata montada sobre cada cupcake y espolvoréelos con cacao.

Cupcakes de crema de cacao y avellanas

PARA 18 UNIDADES

$^3/_4$ de taza de mantequilla ablandada o margarina

$^1/_2$ taza generosa de azúcar moreno

2 huevos grandes un poco batidos

2 cucharadas de crema de cacao y avellanas

$1^1/_3$ tazas de harina con levadura

$^1/_2$ taza generosa de avellanas escaldadas molidas gruesas

COBERTURA

5 cucharadas de crema de cacao y avellanas

18 avellanas escaldadas enteras

Precaliente el horno a 180°C. Coloque 18 moldes de papel en un molde múltiple para cupcakes.

Bata la mantequilla con el azúcar en un bol grande hasta obtener una crema ligera y espumosa. Sin dejar de batir, añada el huevo y, después, la crema de cacao. Tamice la harina por encima y, con una cuchara metálica, incorpórela con la avellana molida.

Reparta la pasta entre los moldes de papel. Cueza los cupcakes en el horno precalentado de 20 a 25 minutos, o hasta que suban y se noten consistentes al tacto. Déjelos enfriar en una rejilla metálica.

Unte los cupcakes con la crema de cacao y adórnelos con una avellana cada uno.

Cupcakes de chocolate a la naranja

PARA 16 UNIDADES

$^1/_2$ taza de mantequilla ablandada o margarina

$^1/_2$ taza generosa de azúcar blanco

la ralladura fina y el zumo (jugo) de $^1/_2$ naranja

2 huevos un poco batidos

1 taza escasa de harina con levadura

$^1/_4$ de taza de chocolate negro rallado

piel de naranja confitada en juliana, para adornar

COBERTURA

115 g de chocolate negro troceado

2 cucharadas de mantequilla sin sal

1 cucharada de sirope de maíz (elote, choclo)

Precaliente el horno a 180°C. Coloque 16 moldes de papel en un molde múltiple para cupcakes.

Bata la mantequilla con el azúcar y la ralladura de naranja en un bol grande hasta obtener una crema ligera y espumosa. Vierta el huevo poco a poco, sin dejar de batir. Tamice la harina y, con una cuchara metálica, incorpórela con el zumo de naranja y el chocolate rallado.

Reparta la pasta entre los moldes de papel. Cueza los cupcakes en el horno 20 minutos, o hasta que suban, se doren y se noten consistentes al tacto. Déjelos enfriar en una rejilla metálica.

Para preparar la cobertura, ponga el chocolate en un bol refractario y añada la mantequilla y el sirope de maíz. Encaje el bol en la boca de un cazo con agua hirviendo a fuego lento, sin que llegue a tocarla, y remueva hasta que se derritan. Apártelo del calor y remueva hasta obtener una crema homogénea. Déjela enfriar hasta que se espese un poco y adquiera una textura untuosa.

Unte los cupcakes con la cobertura y adórnelos con piel de naranja confitada en juliana. Deje cuajar la cobertura antes de servirlos.

Cupcakes de chocolate con queso

PARA 18 UNIDADES

6 cucharadas de mantequilla ablandada o margarina

$^1/_2$ taza de azúcar blanco

2 huevos un poco batidos

$1^3/_4$ tazas de harina con levadura

$^1/_4$ de taza de cacao en polvo

2 cucharadas de leche

$^1/_3$ de taza de pepitas de chocolate negro

virutas de chocolate, para adornar

COBERTURA

225 g de chocolate blanco troceado

$^2/_3$ de taza de queso cremoso desnatado (descremado)

Precaliente el horno a 200°C. Coloque 18 moldes de papel en un molde múltiple para cupcakes.

Bata la mantequilla con el azúcar en un bol grande hasta obtener una crema ligera y espumosa. Vierta el huevo poco a poco, sin dejar de batir. Tamice la harina y el cacao por encima y, con una cuchara metálica, incorpórela con la leche y las pepitas de chocolate.

Reparta la pasta entre los moldes de papel. Cueza los cupcakes en el horno precalentado 20 minutos, o hasta que suban y se noten consistentes al tacto. Déjelos enfriar en una rejilla metálica.

Para preparar la cobertura, ponga el chocolate en un bol refractario y encájelo en la boca de un cazo con agua hirviendo a fuego lento, sin que llegue a tocarla, hasta que se derrita. Déjelo enfriar un poco. Bata el queso en un bol hasta que quede untuoso e incorpórele el chocolate derretido.

Unte los cupcakes con la cobertura y adórnelos con virutas de chocolate. Refrigérelos 1 hora antes de servirlos.

Cupcakes de chocolate y pera

PARA 12 UNIDADES

³/₄ de taza de harina
con levadura

¹/₂ cucharadita de levadura
en polvo

2 cucharadas de cacao
en polvo

¹/₂ taza de mantequilla
ablandada o margarina

¹/₂ taza generosa de azúcar
moreno

2 huevos un poco batidos

4 mitades de pera
en conserva escurridas
y en láminas finas

2 cucharadas de miel
caliente

Precaliente el horno a 190 °C. Coloque 12 moldes de papel en un molde múltiple para cupcakes.

Tamice la harina, la levadura y el cacao en un bol grande. Añada la mantequilla, el azúcar y el huevo y bátalo con las varillas eléctricas hasta obtener una masa homogénea.

Reparta la pasta entre los moldes de papel. Disponga las láminas de pera sobre los cupcakes. Cuézalos en el horno precalentado 20 minutos, o hasta que suban y se noten consistentes al tacto. Páselas a una rejilla metálica y, antes de que se enfríen, rocíelos con la miel. Déjelos enfriar.

Cupcakes con chocolate rallado

PARA 30 UNIDADES

1$\frac{1}{3}$ tazas de harina

1 cucharada de levadura en polvo

$\frac{3}{4}$ de taza de mantequilla ablandada o margarina

1 taza escasa de azúcar blanco

3 huevos un poco batidos

1 cucharadita de esencia de vainilla

2 cucharadas de leche

1 cucharada de cacao en polvo

$\frac{1}{2}$ taza de chocolate con leche rallado

3 cucharadas de confitura de albaricoque (damasco) caliente

Precaliente el horno a 190 °C. Coloque 30 moldes de papel en un molde múltiple para cupcakes.

Tamice la harina y la levadura en un bol grande. Añada la mantequilla, el azúcar, el huevo y la vainilla y bátalo con las varillas eléctricas hasta obtener una masa homogénea. Diluya el cacao en la leche e incorpórelo.

Reparta la pasta entre los moldes de papel y esparza una cuarta parte del chocolate rallado por encima. Cueza los cupcakes en el horno precalentado de 15 a 20 minutos, o hasta que suban y se noten consistentes al tacto. Déjelos enfriar en una rejilla metálica.

Píntelos con la confitura de albaricoque y esparza el chocolate rallado restante por encima.

Cupcakes de chocolate y coco

PARA 16 UNIDADES

85 g de chocolate negro troceado

4 cucharadas de leche

1 cucharada de cacao en polvo

½ taza de mantequilla ablandada o margarina

½ taza generosa de azúcar moreno

2 huevos grandes un poco batidos

3 cucharadas de nata (crema) agria

1⅓ tazas de harina

½ cucharadita de bicarbonato

COBERTURA

16 nubes de azúcar blancas

3 cucharadas de leche

1¼ tazas de nata (crema) extragrasa

½ taza de coco rallado

55 g de chocolate negro derretido

Precaliente el horno a 180°C. Coloque 16 moldes de papel en un molde múltiple para cupcakes.

Ponga el chocolate con la leche y el cacao en un bol refractario y encájelo en la boca de un cazo con agua hirviendo a fuego lento, sin que llegue a tocarla, hasta que se derrita. Apártelo del calor y remueva hasta obtener una crema homogénea.

Bata la mantequilla con el azúcar en un bol grande hasta obtener una crema ligera y espumosa. Añada el huevo poco a poco y, después, la crema de chocolate. Tamice la harina y la levadura por encima e incorpórelas con una cuchara metálica.

Reparta la pasta entre los moldes de papel. Cueza los cupcakes en el horno precalentado de 18 a 20 minutos, o hasta que suban y se noten consistentes al tacto. Déjelos enfriar en una rejilla metálica.

Para preparar la cobertura, ponga las nubes de azúcar y la leche en un bol refractario y encájelo en la boca de un cazo con agua hirviendo a fuego lento, sin que llegue a tocarla. Caliéntelo hasta que las nubes se derritan, removiendo de vez en cuando. Apártelo del calor y deje que se enfríe. Monte la nata e incorpórela a las nubes derretidas con ⅓ de taza de coco rallado. Refrigere la cobertura 30 minutos.

Unte los cupcakes con la cobertura y esparza el coco restante por encima. Introduzca el chocolate derretido en una manga pastelera pequeña de papel, córtele la punta y dibuje unas líneas sobre los cupcakes. Deje cuajar la cobertura antes de servirlos.

Cupcakes de chocolate y toffee

PARA 30 UNIDADES

1¹/₃ tazas de harina

1 cucharada de levadura en polvo

³/₄ de taza de mantequilla ablandada o margarina

1 taza escasa de azúcar blanco

3 huevos un poco batidos

1 cucharadita de esencia de vainilla

85 g de toffee recubierto de chocolate picado

GLASEADO

1²/₃ tazas de azúcar glas (impalpable)

2 cucharaditas de cacao en polvo

unas 2 cucharadas de agua

Precaliente el horno a 190 °C. Coloque 30 moldes de papel en un molde múltiple para cupcakes.

Tamice la harina y la levadura en un bol grande. Añada la mantequilla, el azúcar, el huevo y la vainilla y bátalo con las varillas eléctricas hasta obtener una masa homogénea. Incorpore la mitad del toffee.

Reparta la pasta entre los moldes de papel. Cueza los cupcakes en el horno de 15 a 20 minutos, o hasta que suban, se doren y se noten consistentes al tacto. Déjelos enfriar en una rejilla metálica.

Para preparar el glaseado, tamice el azúcar glas y el cacao en un bol e incorpore el agua hasta obtener una masa homogénea. Glasee los cupcakes y adórnelos con el toffee restante. Deje cuajar la cobertura antes de servirlos.

Cupcakes bicolor

PARA 20 UNIDADES

1 taza escasa de agua

6 cucharadas
de mantequilla

$^1/_2$ taza escasa de azúcar
blanco

1 cucharada de sirope
de maíz (elote, choclo)

3 cucharadas de leche

1 cucharadita de esencia
de vainilla

1 cucharadita
de bicarbonato

$1^3/_4$ tazas de harina

2 cucharadas de cacao
en polvo

virutas de chocolate
blanco y negro,
para adornar

COBERTURA

50 g de chocolate negro
troceado

4 cucharadas de agua

$3^1/_2$ cucharadas de
mantequilla sin sal

50 g de chocolate blanco
troceado

$2^3/_4$ tazas de azúcar glas
(impalpable)

Precaliente el horno a 180°C. Coloque 20 moldes
de papel en un molde múltiple para cupcakes.

Caliente el agua, la mantequilla, el azúcar y el sirope de maíz
en un cazo a fuego lento, sin dejar de remover, hasta que
el azúcar se disuelva. Lleve el caramelo a ebullición, baje el
fuego y déjelo hervir 5 minutos. Déjelo enfriar.

Mientras tanto, ponga la leche y la vainilla en un cuenco.
Añada el bicarbonato y remueva hasta que se disuelva.
Tamice la harina y el cacao en un bol grande y añada el
caramelo. Vierta la leche aromatizada y remueva hasta
obtener una masa.

Reparta la pasta entre los moldes de papel. Cueza los
cupcakes en el horno precalentado 20 minutos, o hasta
que suban y se noten consistentes al tacto. Déjelos enfriar
en una rejilla metálica.

Para preparar la cobertura, ponga el chocolate negro en
un bol refractario con 2 cucharadas del agua y la mitad de
la mantequilla. Encaje el bol en la boca de un cazo con agua
hirviendo a fuego lento, sin que llegue a tocarla, y remueva
hasta que se derritan. Remueva hasta obtener una crema
homogénea y déjela reposar sobre el cazo. En otro bol,
repita la operación con el chocolate blanco y el agua y la
mantequilla restantes. Tamice la mitad del azúcar glas sobre
cada bol y remueva hasta que adquiera una textura untuosa.

Unte la mitad de los cupcakes con la cobertura de chocolate
negro y la otra mitad con la de chocolate blanco. Adórnelos
con virutas de chocolate y deje cuajar la cobertura.

Cupcakes con pepitas de chocolate

PARA 12 UNIDADES

$^3/_4$ **de taza de harina con levadura**

7 cucharadas de mantequilla ablandada o margarina

$^1/_2$ **taza de azúcar blanco**

2 huevos grandes un poco batidos

$^1/_2$ **taza generosa de pepitas de chocolate negro**

Precaliente el horno a 190 °C. Coloque 12 moldes de papel en un molde múltiple para cupcakes.

Tamice la harina en un bol grande. Añada la mantequilla, el azúcar y el huevo y bátalo con las varillas eléctricas hasta obtener una pasta homogénea. Incorpore las pepitas de chocolate.

Reparta la pasta entre los moldes de papel. Cueza los cupcakes en el horno de 20 a 25 minutos, o hasta que suban, se doren y se noten consistentes al tacto. Déjelos enfriar en una rejilla metálica.

Cupcakes de chocolate con cobertura

PARA 18 UNIDADES

1 taza escasa de harina

$1/2$ cucharadita
de bicarbonato

$1/4$ de taza de cacao
en polvo

$3^1/_2$ cucharadas de
mantequilla ablandada
o margarina

$1/2$ taza generosa de azúcar
moreno

2 huevos grandes un poco
batidos

$1/2$ taza de nata (crema)
agria

canutillos de chocolate,
para adornar

COBERTURA

125 g de chocolate negro
troceado

2 cucharadas de azúcar
blanco

$2/_3$ de taza de nata (crema)
agria

Precaliente el horno a 180°C. Coloque 18 moldes de papel en un molde múltiple para cupcakes.

Tamice la harina, el bicarbonato y el cacao en un bol grande. Añada la mantequilla, el azúcar y el huevo y bátalo con las varillas eléctricas hasta obtener una masa homogénea. Incorpore la nata.

Reparta la pasta entre los moldes de papel. Cueza los cupcakes en el horno precalentado 20 minutos, o hasta que suban y se noten consistentes al tacto. Déjelos enfriar en una rejilla metálica.

Para preparar la cobertura, ponga el chocolate en un bol refractario. Encaje el bol en la boca de un cazo con agua hirviendo a fuego lento y, removiendo de vez en cuando, derrita el chocolate. Apártelo del calor y deje enfriar un poco el chocolate. Incorpore el azúcar y la nata.

Unte los cupcakes con la cobertura y adórnelos con canutillos de chocolate. Deje cuajar la cobertura antes de servirlos.

Minicupcakes de chocolate

PARA 20 UNIDADES

4 cucharadas de mantequilla ablandada o margarina

¹/₄ de taza de azúcar blanco

1 huevo grande un poco batido

¹/₂ taza escasa de harina con levadura

2 cucharadas de cacao en polvo

1 cucharada de leche

20 granos de café recubiertos de chocolate, para adornar

COBERTURA

100 g de chocolate negro troceado

¹/₂ taza escasa de nata (crema) extragrasa

Precaliente el horno a 190°C. Coloque 20 moldes de papel en un molde múltiple para cupcakes pequeños.

Bata la mantequilla con el azúcar en un bol grande hasta obtener una crema ligera y espumosa. Vierta el huevo poco a poco, sin dejar de batir. Tamice la harina y el cacao por encima e incorpórelos con una cuchara metálica. Vierta la leche y remueva.

Reparta la pasta entre los moldes de papel. Cueza los cupcakes en el horno precalentado de 10 a 15 minutos, o hasta que suban y se noten consistentes al tacto. Déjelos enfriar en una rejilla metálica.

Para preparar la cobertura, ponga el chocolate en un cazo y añada la nata. Caliéntelo a fuego lento, sin dejar de remover, hasta que se derrita. Páselo a un bol refractario grande y bátalo con las varillas eléctricas 10 minutos, o hasta que esté espeso y satinado y se enfríe.

Introduzca la cobertura en una manga pastelera grande con boquilla grande de estrella. Repártala en forma de roseta entre los cupcakes y adórnelos con un grano de café recubierto de chocolate cada uno. Refrigere los cupcakes 1 hora antes de servirlos.

Cupcakes de chocolate con rosas

PARA 12 UNIDADES

½ taza de mantequilla ablandada o margarina

½ taza generosa de azúcar blanco

1 cucharadita de agua de rosas

2 huevos un poco batidos

1 taza escasa de harina con levadura

½ taza escasa de chocolate blanco rallado

pétalos de rosa azucarados, para adornar (véase la página 42)

COBERTURA

115 g de chocolate blanco troceado

2 cucharadas de leche

¾ de taza de queso cremoso

¼ escaso de taza de azúcar glas (impalpable)

Precaliente el horno a 180 °C. Coloque 12 moldes de papel en un molde múltiple para cupcakes.

Bata la mantequilla con el azúcar y el agua de rosas en un bol grande hasta obtener una crema ligera y espumosa. Vierta el huevo poco a poco, sin dejar de batir. Tamice la harina por encima e incorpórela con suavidad con una cuchara metálica. Agregue el chocolate blanco y remueva.

Reparta la pasta entre los moldes de papel. Cueza los cupcakes en el horno de 15 a 20 minutos, o hasta que suban, se doren y se noten consistentes al tacto. Déjelos enfriar en una rejilla metálica.

Para preparar la cobertura, caliente el chocolate con la leche en un bol refractario encajado en la boca de un cazo con agua hirviendo a fuego lento, sin que llegue a tocarla, hasta que se derrita. Apártelo del calor y remueva hasta que esté homogéneo. Déjelo enfriar 30 minutos. Ponga el queso en otro bol, tamice el azúcar glas por encima y bátalo hasta obtener una crema homogénea. Incorpore el chocolate derretido. Refrigere la cobertura 1 hora.

Unte los cupcakes con la cobertura y adórnelos con pétalos de rosa azucarados.

Con fruta y
frutos secos

Cupcakes de plátano y pacanas

PARA 24 UNIDADES

$^1/_2$ taza de mantequilla ablandada o margarina

$^1/_2$ taza generosa de azúcar blanco

$^1/_2$ cucharadita de esencia de vainilla

2 huevos un poco batidos

2 plátanos (bananas) maduros chafados

$^1/_4$ de taza de nata (crema) agria

$1^3/_4$ tazas de harina

$1^1/_4$ cucharaditas de levadura en polvo

$^1/_4$ de cucharadita de bicarbonato

$^1/_2$ taza de pacanas (nueces pecán) troceadas

24 medias pacanas (nueces pecán), para adornar

CREMA DE MANTEQUILLA

$^1/_2$ taza de mantequilla sin sal ablandada

$1^1/_3$ tazas de azúcar glas (impalpable)

Precaliente el horno a 190 °C. Coloque 24 moldes de papel en un molde múltiple para cupcakes.

Bata la mantequilla con el azúcar y la vainilla en un bol grande hasta que esté ligera y espumosa. Vierta el huevo poco a poco, sin dejar de batir. Agregue el plátano y la nata agria y remueva. Tamice la harina, la levadura y el bicarbonato por encima y, con una cuchara metálica, incorpórelas con las pacanas troceadas.

Reparta la pasta entre los moldes de papel. Cueza los cupcakes en el horno 20 minutos, o hasta que suban, se doren y se noten consistentes al tacto. Déjelos enfriar en una rejilla metálica.

Para preparar la crema de mantequilla, bata la mantequilla en un bol hasta que espume. Tamice el azúcar glas por encima y mézclelo bien.

Introduzca la crema de mantequilla en una manga pastelera grande con boquilla grande de estrella. Repártala en forma de remolino entre los cupcakes y adórnelos con media pacana cada uno.

Cupcakes de frambuesa y almendra

PARA 14 UNIDADES

$^1/_2$ taza de mantequilla ablandada o margarina

$^1/_2$ taza escasa de azúcar blanco

$^1/_2$ cucharadita de esencia de almendra

2 huevos un poco batidos

$^2/_3$ de taza de harina con levadura

$^1/_2$ taza generosa de almendra molida

$^3/_4$ de taza de frambuesas

2 cucharadas de almendra fileteada

azúcar glas (impalpable), para espolvorear

Precaliente el horno a 180°C. Coloque 14 moldes de papel en un molde múltiple para cupcakes.

Bata la mantequilla con el azúcar y la esencia de almendra en un bol grande hasta que esté ligera y espumosa. Vierta el huevo poco a poco, sin dejar de batir. Tamice la harina por encima y, con una cuchara metálica, incorpórela con la almendra molida. Añada las frambuesas y remueva con suavidad.

Reparta la pasta entre los moldes de papel. Esparza la almendra fileteada por encima de los cupcakes. Cuézalos en el horno precalentado de 25 a 30 minutos, o hasta que suban, se doren y se noten consistentes al tacto. Déjelos enfriar en una rejilla metálica. Espolvoree los cupcakes con azúcar glas.

Cupcakes de arándanos glaseados

PARA 30 UNIDADES

1$^{1}/_{3}$ tazas de harina

1 cucharada de levadura
en polvo

$^{3}/_{4}$ de taza de mantequilla
ablandada o margarina

1 taza escasa de azúcar
blanco

3 huevos un poco batidos

1 cucharadita de esencia
de vainilla

la ralladura fina
de $^{1}/_{2}$ naranja

1 taza de arándanos

GLASEADO

1$^{1}/_{4}$ tazas de azúcar glas
(impalpable)

3 cucharadas de nata
(crema) agria

Precaliente el horno a 190 °C. Coloque 30 moldes
de papel en un molde múltiple para cupcakes.

Tamice la harina y la levadura en un bol grande. Añada
la mantequilla, el azúcar, el huevo y la vainilla y bátalo con
las varillas eléctricas hasta obtener una masa homogénea.
Incorpore la ralladura de naranja y $^{3}/_{4}$ escasos de taza de
los arándanos.

Reparta la pasta entre los moldes de papel. Cueza los
cupcakes en el horno de 15 a 20 minutos, o hasta que
suban, se doren y se noten consistentes al tacto. Déjelos
enfriar en una rejilla metálica.

Para preparar el glaseado, tamice el azúcar glas en un
bol e incorpore la nata. Glasee los cupcakes y adórnelos
con los arándanos restantes. Deje cuajar el glaseado antes
de servirlos.

159

Cupcakes de crema de cacahuete

PARA 16 UNIDADES

4 cucharadas de mantequilla ablandada o margarina

1 taza generosa de azúcar moreno

1/2 taza de crema de cacahuete (cacahuate) crujiente

2 huevos un poco batidos

1 cucharadita de esencia de vainilla

1³/₄ tazas de harina

2 cucharaditas de levadura en polvo

1/2 taza escasa de leche

cacahuetes (cacahuates) tostados sin sal picados, para adornar

COBERTURA

1 taza escasa de queso cremoso

2 cucharadas de mantequilla sin sal ablandada

1³/₄ tazas de azúcar glas (impalpable)

Precaliente el horno a 180°C. Coloque 16 moldes de papel en un molde múltiple para cupcakes.

Bata la mantequilla, el azúcar y la crema de cacahuete en un bol grande un par de minutos, o hasta obtener una preparación homogénea. Sin dejar de batir, incorpore el huevo poco a poco y, después, la vainilla. Tamice la harina y la levadura por encima y, con una cuchara metálica, incorpórelas con la leche.

Reparta la pasta entre los moldes de papel. Cueza los cupcakes en el horno 25 minutos, o hasta que suban, se doren y se noten consistentes al tacto. Déjelos enfriar en una rejilla metálica.

Para preparar la cobertura, mezcle el queso con la mantequilla en un bol y bátalo hasta obtener una crema homogénea. Tamice el azúcar glas por encima y mézclelo todo bien.

Introduzca la cobertura en una manga pastelera grande con boquilla grande de estrella. Repártala en forma de roseta entre los cupcakes y adórnelos con el cacahuete picado.

Cupcakes de avellanas y yogur

PARA 26 UNIDADES

1$^1/_3$ tazas de harina

2 cucharaditas de maicena

1 cucharada de levadura en polvo

$^3/_4$ de taza de yogur

1 taza escasa de azúcar blanco

3 huevos un poco batidos

1 cucharadita de esencia de vainilla

$^1/_3$ de taza de avellanas picadas

avellanas troceadas, para adornar

GLASEADO

$^3/_4$ generosos de taza de azúcar glas (impalpable)

3 cucharadas de yogur

Precaliente el horno a 190 °C. Coloque 26 moldes de papel en un molde múltiple para cupcakes.

Tamice la harina con la maicena y la levadura en un bol grande. Añada el yogur, el azúcar, el huevo y la vainilla y bátalo con las varillas eléctricas hasta obtener una masa homogénea. Incorpore las avellanas picadas.

Reparta la pasta entre los moldes de papel. Cueza los cupcakes en el horno de 15 a 20 minutos, o hasta que suban, se doren y se noten consistentes al tacto. Déjelos enfriar en una rejilla metálica.

Para preparar el glaseado, tamice el azúcar glas en un bol e incorpore el yogur. Glasee los cupcakes y adórnelos con la avellana troceada. Deje cuajar el glaseado antes de servirlos.

Cupcakes de mango y maracuyá

PARA 18 UNIDADES

$^1/_2$ taza de mantequilla ablandada o margarina

$^1/_2$ taza generosa de azúcar blanco

1 cucharadita de ralladura fina de naranja

2 huevos un poco batidos

1 taza escasa de harina con levadura

$^1/_3$ de taza de mango seco picado

1 cucharada de zumo (jugo) de naranja

GLASEADO

1$^2/_3$ tazas de azúcar glas (impalpable)

las semillas y la pulpa de 1 maracuyá

1-2 cucharadas de zumo (jugo) de naranja

Precaliente el horno a 190 °C. Coloque 18 moldes de papel en un molde múltiple para cupcakes.

Bata la mantequilla con el azúcar y la ralladura de naranja en un bol grande hasta obtener una crema ligera y espumosa. Vierta el huevo poco a poco, sin dejar de batir. Tamice la harina por encima y, con una cuchara metálica, incorpórela con el mango y el zumo de naranja.

Reparta la pasta entre los moldes de papel. Cueza los cupcakes en el horno 20 minutos, o hasta que suban, se doren y se noten consistentes al tacto. Déjelos enfriar en una rejilla metálica.

Para preparar el glaseado, tamice el azúcar glas en un bol y añada las semillas y la pulpa de maracuyá y 1 cucharada del zumo de naranja. Mézclelo bien hasta que esté homogéneo, añadiendo más zumo si fuera necesario. Glasee los cupcakes y deje que cuajen antes de servirlos.

Cupcakes colibrí

PARA 12 UNIDADES

$1^1/_4$ tazas de harina

$^3/_4$ de cucharadita
de bicarbonato

1 cucharadita de canela
molida

$^2/_3$ de taza de azúcar
moreno

2 huevos un poco batidos

$^1/_2$ taza escasa de aceite
de girasol

1 plátano (banana)
maduro chafado

2 rodajas de piña (ananás)
en conserva escurridas
y picadas

$^1/_4$ de taza de pacanas
(nueces pecán) picadas

12 medias pacanas
(nueces pecán),
para adornar

COBERTURA

$^2/_3$ de taza de queso
cremoso

5 cucharadas de
mantequilla sin sal
ablandada

1 cucharadita de esencia
de vainilla

$2^1/_4$ tazas de azúcar glas
(impalpable)

Precaliente el horno a 180°C. Coloque 12 moldes de papel en un molde múltiple para cupcakes.

Tamice la harina con el bicarbonato y la canela en un bol e incorpore el azúcar. Añada el huevo, el aceite, el plátano, la piña y las pacanas y mézclelo bien.

Reparta la pasta entre los moldes de papel. Cueza los cupcakes en el horno de 15 a 20 minutos, o hasta que suban, se doren y se noten consistentes al tacto. Déjelos enfriar en una rejilla metálica.

Para preparar la cobertura, mezcle el queso con la mantequilla y la vainilla con una espátula. Tamice el azúcar glas por encima y bátalo hasta obtener una crema homogénea.

Introduzca la cobertura en una manga pastelera grande con boquilla grande de estrella. Repártala en forma de zigzag entre los cupcakes y adórnelos con media pacana cada uno.

Cupcakes de zanahoria

PARA 12 UNIDADES

$^3/_4$ de taza de mantequilla ablandada o margarina

$^1/_2$ taza generosa de azúcar blanco

2 huevos un poco batidos

$2^3/_4$ tazas de zanahoria rallada

$^1/_2$ taza escasa de nueces picadas

2 cucharadas de zumo (jugo) de naranja

la ralladura de $^1/_2$ naranja

$1^1/_3$ tazas de harina con levadura

1 cucharadita de canela molida

12 medias nueces, para adornar

COBERTURA

$^1/_2$ taza de queso cremoso

1 cucharada de zumo (jugo) de naranja

$1^3/_4$ tazas de azúcar glas (impalpable)

Precaliente el horno a 180 °C. Coloque 12 moldes de papel en un molde múltiple para cupcakes.

Bata la mantequilla con el azúcar en un bol grande hasta obtener una crema ligera y espumosa. Vierta el huevo poco a poco, sin dejar de batir. Añada la zanahoria rallada, las nueces y el zumo y la ralladura de naranja y remueva. Tamice la harina y la canela por encima e incorpórelos con suavidad con una cuchara metálica.

Reparta la pasta entre los moldes de papel. Cueza los cupcakes en el horno de 15 a 20 minutos, o hasta que suban, se doren y se noten consistentes al tacto. Déjelos enfriar en una rejilla metálica.

Para preparar la cobertura, bata el queso con el zumo de naranja en un bol. Tamice el azúcar glas por encima y bátalo hasta que espume. Unte los cupcakes con la cobertura y adórnelos con media nuez cada uno.

Cupcakes de nueces de macadamia

PARA 10 UNIDADES

6 cucharadas de mantequilla ablandada o margarina

¼ de taza de azúcar moreno

2 cucharadas de jarabe de arce

1 huevo grande un poco batido

⅔ de taza de harina con levadura

⅓ de taza de nueces de macadamia picadas

1 cucharada de leche

2 cucharadas de nueces de macadamia tostadas picadas, para adornar

COBERTURA

2 cucharadas de mantequilla sin sal ablandada

2 cucharadas de jarabe de arce

⅔ de taza de azúcar glas (impalpable)

⅓ de taza de queso cremoso

Precaliente el horno a 190 °C. Coloque 10 moldes de papel en un molde múltiple para cupcakes.

Bata la mantequilla con el azúcar y el jarabe de arce en un bol grande hasta que esté ligera y espumosa. Vierta el huevo poco a poco, sin dejar de batir. Tamice la harina por encima y, con una cuchara metálica, incorpórela con las nueces de macadamia picadas y la leche.

Reparta la pasta entre los moldes de papel. Cueza los cupcakes en el horno 20 minutos, o hasta que suban, se doren y se noten consistentes al tacto. Déjelos enfriar en una rejilla metálica.

Para preparar la cobertura, bata la mantequilla con el jarabe de arce hasta obtener una crema homogénea. Tamice el azúcar glas por encima y bátalo bien. Incorpore el queso con suavidad. Unte los cupcakes con la cobertura y adórnelos con las nueces de macadamia picadas.

Cupcakes crujientes de manzana

PARA 14 UNIDADES

$1/2$ cucharadita
de bicarbonato

$1^1/_4$ tazas de compota
de manzana

4 cucharadas de
mantequilla ablandada
o margarina

$1/2$ taza escasa de azúcar
moreno

1 huevo grande un poco
batido

$1^1/_3$ tazas de harina
con levadura

$1/2$ cucharadita de canela
molida

$1/2$ cucharadita de nuez
moscada recién rallada

COBERTURA

$1/3$ de taza de harina

$1/4$ de taza de azúcar
moreno

$1/4$ de cucharadita
de canela molida

$1/4$ de cucharadita de nuez
moscada recién rallada

$2^1/_2$ cucharadas
de mantequilla

Precaliente el horno a 180°C. Coloque 14 moldes de papel en un molde múltiple para cupcakes.

Para preparar la cobertura, mezcle la harina con el azúcar, la canela y la nuez moscada en un bol. Corte la mantequilla en trocitos e incorpórela con los dedos hasta que adquiera una consistencia como de pan rallado.

Para preparar los cupcakes, mezcle el bicarbonato con la compota y remueva hasta que se disuelva. Bata la mantequilla con el azúcar en un bol grande hasta obtener una crema ligera y espumosa. Vierta el huevo poco a poco, sin dejar de batir. Tamice la harina con la canela y la nuez moscada e incorpórelas con una cuchara metálica en alternancia con la compota.

Reparta la pasta entre los moldes de papel. Añada la cobertura y presiónela un poco con la cuchara. Cueza los cupcakes en el horno 20 minutos, o hasta que suban, se doren y se noten consistentes al tacto. Déjelos enfriar en una rejilla metálica.

Cupcakes de pistacho

PARA 16 UNIDADES

$^2/_3$ de taza de pistachos sin sal

$^1/_2$ taza de mantequilla ablandada o margarina

$^3/_4$ de taza de azúcar blanco

1 taza generosa de harina con levadura

2 huevos un poco batidos

$^1/_4$ de taza de yogur griego

1 cucharada de pistachos picados, para adornar

CREMA DE MANTEQUILLA

$^1/_2$ taza de mantequilla sin sal ablandada

2 cucharadas de jarabe de lima (limón)

colorante alimentario verde (opcional)

$1^2/_3$ tazas de azúcar glas (impalpable)

Precaliente el horno a 180°C. Coloque moldes de papel en un molde múltiple para 16 cupcakes.

Pique los pistachos en el robot de cocina o la batidora unos segundos, hasta que estén bien molidos. Añada la mantequilla, el azúcar, la harina, el huevo y el yogur y ponga el robot de nuevo en marcha para mezclar los ingredientes.

Reparta la pasta entre los moldes de papel. Cueza los cupcakes en el horno de 20 a 25 minutos, o hasta que suban, se doren y se noten consistentes al tacto. Déjelos enfriar en una rejilla metálica.

Para preparar la crema de mantequilla, bata la mantequilla con el jarabe de lima y, si lo desea, un poco de colorante en un bol hasta que espume. Tamice el azúcar glas por encima y bátalo. Unte los cupcakes con la cobertura y adórnelos con el pistacho picado.

Cupcakes de almendra

PARA 12 UNIDADES

7 cucharadas de mantequilla ablandada o margarina

½ taza de azúcar blanco

2 huevos un poco batidos

¼ de cucharadita de esencia de almendra

4 cucharadas de nata líquida (crema de leche)

1⅓ tazas de harina

1½ cucharaditas de levadura en polvo

¾ de taza de almendra molida

almendra fileteada tostada, para adornar

CREMA DE MANTEQUILLA

½ taza de mantequilla sin sal ablandada

1¾ tazas de azúcar glas (impalpable)

unas gotas de esencia de almendra

Precaliente el horno a 180 °C. Coloque 12 moldes de papel en un molde múltiple para cupcakes.

Bata la mantequilla con el azúcar en un bol grande hasta obtener una crema ligera y espumosa. Sin dejar de batir, incorpore el huevo poco a poco y, después, la esencia de almendra y la nata. Tamice la harina y la levadura por encima y, con una cuchara metálica, incorpórela con la almendra molida.

Reparta la pasta entre los moldes de papel. Cueza los cupcakes en el horno 25 minutos, o hasta que suban, se doren y se noten consistentes al tacto. Déjelos enfriar en una rejilla metálica.

Para preparar la crema de mantequilla, bata la mantequilla en un bol hasta que esté untuosa. Tamice el azúcar glas por encima, añada la esencia de almendra y bátalo todo bien hasta obtener una crema homogénea. Unte los cupcakes con la cobertura y adórnelos con almendra fileteada.

Cupcakes de piña

PARA 12 UNIDADES

2 rodajas de piña (ananás) en almíbar

6 cucharadas de mantequilla ablandada o margarina

$^1/_2$ taza escasa de azúcar blanco

1 huevo grande un poco batido

$^2/_3$ de taza de harina con levadura

COBERTURA

2 cucharadas de mantequilla sin sal ablandada

$^1/_2$ taza escasa de queso cremoso

la ralladura de 1 limón o lima

$^3/_4$ de taza de azúcar glas (impalpable)

1 cucharadita de zumo (jugo) de limón o lima

Precaliente el horno a 180°C. Coloque 12 moldes de papel en un molde múltiple para cupcakes.

Escurra la piña, reservando 1 cucharada del almíbar, y píquela bien. Bata la mantequilla con el azúcar en un bol grande hasta obtener una crema ligera y espumosa. Vierta el huevo poco a poco, sin dejar de batir. Tamice la harina por encima e incorpórela con una cuchara metálica. Añada la piña picada y el almíbar y remueva.

Reparta la pasta entre los moldes de papel. Cueza los cupcakes en el horno 20 minutos, o hasta que suban, se doren y se noten consistentes al tacto. Déjelos enfriar en una rejilla metálica.

Para preparar la cobertura, bata la mantequilla con el queso en un bol hasta obtener una crema homogénea. Incorpore la ralladura de limón. Tamice el azúcar glas por encima y mézclelo bien. Sin dejar de batir, vierta zumo de limón suficiente para obtener una textura untuosa.

Introduzca la cobertura en una manga pastelera grande con boquilla grande de estrella. Repártala en forma de rosetas sobre los cupcakes.

Cupcakes de pacanas

PARA 30 UNIDADES

1¹/₃ tazas de harina

1 cucharada de levadura en polvo

³/₄ de taza de mantequilla ablandada o margarina

¹/₂ taza generosa de azúcar moreno

4 cucharadas de jarabe de arce

3 huevos un poco batidos

1 cucharadita de esencia de vainilla

¹/₄ de taza de pacanas (nueces pecán) picadas

COBERTURA

¹/₃ de taza de pacanas (nueces pecán) picadas

2 cucharadas de harina

2 cucharadas de azúcar moreno

2 cucharadas de mantequilla derretida

Precaliente el horno a 190 °C. Coloque 30 moldes de papel en un molde múltiple para cupcakes.

Tamice la harina y la levadura en un bol grande. Añada la mantequilla, el azúcar, el jarabe de arce, el huevo y la vainilla y bátalo con las varillas eléctricas hasta obtener una masa homogénea. Incorpore las pacanas picadas.

Reparta la pasta entre los moldes de papel. Para preparar la cobertura, mezcle las pacanas, la harina, el azúcar y la mantequilla derretida hasta obtener una masa grumosa y repártala sobre los cupcakes.

Cueza los cupcakes en el horno de 15 a 20 minutos, o hasta que suban, se doren y se noten consistentes al tacto. Déjelos enfriar en una rejilla metálica.

Cupcakes de polenta al limón

PARA 14 UNIDADES

¹/₂ taza de mantequilla ablandada o margarina

¹/₂ taza generosa de azúcar blanco

la ralladura fina y el zumo (jugo) de ¹/₂ limón

2 huevos un poco batidos

¹/₂ taza escasa de harina

1 cucharadita de levadura en polvo

¹/₄ de taza de polenta

14 violetas escarchadas, para adornar

COBERTURA

150 g de mascarpone

3 cucharadas de azúcar glas (impalpable)

2 cucharaditas de ralladura fina de limón

Precaliente el horno a 180°C. Coloque 14 moldes de papel en un molde múltiple para cupcakes.

Bata la mantequilla con el azúcar en un bol grande hasta obtener una crema ligera y espumosa. Incorpore la ralladura y el zumo de limón. Vierta el huevo poco a poco, sin dejar de batir. Tamice la harina y la levadura por encima y, con una cuchara metálica, incorpórelas con la polenta.

Reparta la pasta entre los moldes de papel. Cueza los cupcakes en el horno 20 minutos, o hasta que suban, se doren y se noten consistentes al tacto. Déjelos enfriar en una rejilla metálica.

Para preparar la cobertura, bata el mascarpone hasta que esté homogéneo. Tamice el azúcar glas por encima, añada la ralladura de limón y bátalo todo bien hasta obtener una crema homogénea. Unte los cupcakes con la cobertura y adórnelos con las violetas escarchadas.

Cupcakes de naranja

PARA 12 UNIDADES

6 cucharadas de mantequilla ablandada o margarina

$1/2$ taza escasa de azúcar blanco

1 huevo grande un poco batido

$2/3$ de taza de harina con levadura

$1/4$ de taza de almendra molida

el zumo (jugo) y la ralladura fina de 1 naranja pequeña

2 cucharadas de almendra fileteada tostada, para adornar

JARABE DE NARANJA

el zumo (jugo) y la ralladura fina de 1 naranja pequeña

$1/4$ de taza de azúcar blanco

Precaliente el horno a 180°C. Coloque 12 moldes de papel en un molde múltiple para cupcakes.

Bata la mantequilla con el azúcar en un bol hasta obtener una crema ligera y espumosa. Vierta el huevo poco a poco, sin dejar de batir. Tamice la harina por encima e incorpórela con una cuchara metálica con la almendra molida. Añada el zumo y la ralladura de naranja y remueva.

Reparta la pasta entre los moldes de papel. Cueza los cupcakes en el horno de 20 a 25 minutos, o hasta que suban, se doren y se noten consistentes al tacto.

Mientras tanto, prepare el jarabe de naranja. En un cazo, caliente a fuego lento el zumo y la ralladura de naranja con el azúcar hasta que este último se disuelva. Hierva el jarabe 5 minutos.

Pinche varias veces los cupcakes con un palillo y rocíelos con el jarabe de naranja. Adórnelos con la almendra fileteada. Déjelos enfriar en una rejilla metálica.

De fiesta

Cupcakes I ♥ You

PARA 10 UNIDADES

$^1/_2$ taza de mantequilla ablandada o margarina

$^1/_2$ taza generosa de azúcar blanco

1 cucharadita de esencia de almendra

2 huevos grandes un poco batidos

$^1/_2$ taza generosa de harina con levadura

$^1/_4$ de taza de almendra molida

2 cucharadas de leche

3 cucharadas de confitura de frambuesa

PARA ADORNAR

75 g de alcorza roja

150 g de alcorza blanca

1 cucharada de clara de huevo un poco batida

$^2/_3$ de taza de azúcar glas (impalpable) tamizado, y un poco más para espolvorear

Precaliente el horno a 180 °C. Coloque 10 moldes de papel en un molde múltiple para cupcakes.

Bata la mantequilla con el azúcar y la esencia en un bol grande hasta que esté ligera y espumosa. Vierta el huevo poco a poco, sin dejar de batir. Tamice la harina por encima y, con una cuchara metálica, incorpórela con la almendra molida. Añada la leche y remueva con suavidad.

Reparta la pasta entre los moldes de papel. Cueza los cupcakes en el horno de 20 a 25 minutos, o hasta que suban, se doren y se noten consistentes al tacto. Déjelos enfriar en una rejilla metálica.

Con un cuchillo pequeño, vacíe un poco los cupcakes y reserve la parte cortada. Disponga $^1/_2$ cucharadita de la confitura de frambuesa en cada hueco y tápelos de nuevo.

Extienda un trocito de alcorza roja y, con un cortapastas en forma de corazón, recorte 2. Amase la alcorza roja restante con la blanca para crear un efecto veteado. Extiéndala con el rodillo sobre la encimera espolvoreada con azúcar glas hasta obtener una lámina de 5 mm de grosor. Corte 10 redondeles con un cortapastas de 7 cm de diámetro. Pinte la parte superior de los cupcakes con la confitura restante y coloque los redondeles de alcorza encima.

Ponga la clara de huevo en un bol e incorpore el azúcar glas poco a poco hasta obtener un glaseado homogéneo. Introdúzcalo en una manga pastelera pequeña con boquilla fina para escribir. Escriba cada letra I, Y, O y U en dos cupcakes y pegue un corazón de alcorza con un poco de agua en los cupcakes restantes.

Cupcakes de San Valentín

PARA 6 UNIDADES

6 cucharadas de mantequilla ablandada o margarina

$^{1}/_{2}$ taza escasa de azúcar blanco

$^{1}/_{2}$ cucharadita de esencia de vainilla

2 huevos un poco batidos

$^{1}/_{2}$ taza generosa de harina

1 cucharada de cacao en polvo

1 cucharadita de levadura en polvo

6 flores de azúcar, para adornar

CORAZONES DE MAZAPÁN

35 g de mazapán (pasta de almendra)

colorante alimentario rojo

azúcar glas (impalpable), para espolvorear

COBERTURA

4 cucharadas de mantequilla sin sal ablandada

1 taza escasa de azúcar glas (impalpable)

25 g de chocolate negro derretido

Para preparar los corazones, amase el mazapán hasta que esté maleable, tíñalo con colorante rojo y siga trabajándolo hasta que adquiera un color uniforme. Extiéndalo con el rodillo sobre la encimera espolvoreada con azúcar glas hasta obtener una lámina de 5 mm de grosor. Con un cortapastas pequeño en forma de corazón, corte 6 unidades. Déjelas secar 3 o 4 horas sobre una hoja de papel vegetal espolvoreado con azúcar glas.

Precaliente el horno a 180 °C. Coloque 6 moldes de papel en un molde múltiple para cupcakes.

Bata la mantequilla con el azúcar y la vainilla en un bol grande hasta que esté ligera y espumosa. Vierta el huevo, poco a poco, sin dejar de batir. Tamice la harina, el cacao y la levadura e incorpórelos con una cuchara metálica.

Reparta la pasta entre los moldes de papel. Cueza los cupcakes en el horno precalentado de 20 a 25 minutos, o hasta que suban y se noten consistentes al tacto. Déjelos enfriar en una rejilla metálica.

Para preparar la cobertura, bata la mantequilla en un bol grande hasta que espume. Tamice el azúcar glas por encima y bátalo hasta obtener una crema homogénea. Incorpore el chocolate. Cuando los cupcakes se hayan enfriado, úntelos con la cobertura y adórnelos con los corazones de mazapán y las flores de azúcar.

Cupcakes con pétalos de rosa

PARA 12 UNIDADES

½ taza de mantequilla
ablandada o margarina

½ taza generosa
de azúcar blanco

2 huevos un poco batidos

1⅓ tazas de harina
con levadura

1 cucharada de leche

unas gotas de aceite
esencial de rosas

¼ de cucharadita
de esencia de vainilla

pétalos de rosa
azucarados, para adornar
(véase la página 42)

CREMA DE MANTEQUILLA

6 cucharadas de
mantequilla sin sal
ablandada

1⅓ tazas de azúcar glas
(impalpable)

colorante alimentario rosa
(opcional)

Precaliente el horno a 200°C. Coloque 12 moldes de papel en un molde múltiple para cupcakes.

Bata la mantequilla con el azúcar en un bol grande hasta obtener una crema ligera y espumosa. Vierta el huevo, poco a poco, sin dejar de batir. Tamice la harina por encima e incorpórela con suavidad con una cuchara metálica. Añada la leche, el aceite esencial de rosas y la vainilla y remueva.

Reparta la pasta entre los moldes de papel. Cueza los cupcakes en el horno de 12 a 15 minutos, o hasta que suban, se doren y se noten consistentes al tacto. Déjelos enfriar en una rejilla metálica.

Para preparar la crema de mantequilla, bata la mantequilla en un bol grande hasta que espume. Tamice el azúcar glas por encima y mézclelo bien. Añada un poco de colorante para teñirla de rosa claro.

Introduzca la cobertura en una manga pastelera con boquilla grande lisa. Repártala entre los cupcakes y adórnelos con unos pétalos de rosa azucarados.

Cupcakes nupciales

PARA 30 UNIDADES

2³/₄ tazas de harina
con levadura

1 cucharadita de levadura
en polvo

1 taza de mantequilla
ablandada o margarina

1 taza generosa de azúcar
blanco

la ralladura fina
de 1 limón grande

4 huevos grandes
un poco batidos

2 cucharadas de leche

PARA ADORNAR

650 g de alcorza blanca

3 cucharadas de confitura
de albaricoque (damasco)
caliente o de compota
de albaricoque (damasco)
caliente colada

15 rosas de alcorza
blancas adornadas con
brillantina plateada
comestible (véase la
página 40)

2 cucharadas de clara
de huevo un poco batida

1¹/₄ tazas de azúcar glas
(impalpable), y un poco
más para espolvorear

Precaliente el horno a 160°C. Coloque 30 moldes
de papel en un molde múltiple para cupcakes.

Tamice la harina y la levadura en un bol grande. Añada
la mantequilla, el azúcar, la ralladura de limón, el huevo
y la leche y bátalo con las varillas eléctricas hasta obtener
una pasta homogénea.

Reparta la pasta entre los moldes de papel. Cueza los
cupcakes en el horno de 20 a 25 minutos, o hasta que
suban, se doren y se noten consistentes al tacto. Déjelos
enfriar en una rejilla metálica.

Extienda la alcorza con el rodillo sobre la encimera
espolvoreada con azúcar glas hasta obtener una lámina de
5 mm de grosor. Corte 30 redondeles con un cortapastas
de 7 cm de diámetro. Si fuera necesario, amase de nuevo
la alcorza. Pinte los cupcakes con un poco de confitura de
albaricoque y disponga un redondel de alcorza encima de
cada uno. Adorne la mitad de los cupcakes con una rosa
de alcorza blanca en cada uno.

Ponga la clara de huevo en un bol e incorpore el azúcar
glas poco a poco hasta obtener un glaseado homogéneo.
Introdúzcalo en una manga pastelera pequeña con
boquilla fina para escribir. Empezando por un extremo,
dibuje una línea sinuosa de glaseado por toda la superficie
de los cupcakes restantes. Intente que las líneas no
se toquen ni se crucen y ejerza una presión constante
sobre la manga de modo que queden del mismo grosor.
Deje cuajar el glaseado antes de servirlos.

Cupcakes para bodas de plata y de oro

PARA 24 UNIDADES

1 taza de mantequilla
ablandada o margarina

1 taza generosa de azúcar
blanco

4 huevos grandes
un poco batidos

1 cucharadita de esencia
de vainilla

1³/₄ tazas de harina
con levadura

5 cucharadas de leche

grageas plateadas o
doradas, para adornar

CREMA DE MANTEQUILLA

³/₄ de taza de mantequilla
sin sal ablandada

2³/₄ tazas de azúcar glas
(impalpable)

Precaliente el horno a 180°C. Coloque 24 moldes de papel de aluminio plateado o dorado en un molde múltiple para cupcakes.

Bata la mantequilla con el azúcar en un bol grande hasta obtener una crema ligera y espumosa. Incorpore el huevo poco a poco y, después, la vainilla. Tamice la harina por encima y, con una cuchara metálica, incorpórela con la leche.

Reparta la pasta entre los moldes de papel. Cueza los cupcakes en el horno de 15 a 20 minutos, o hasta que suban, se doren y se noten consistentes al tacto. Déjelos enfriar en una rejilla metálica.

Para preparar la crema de mantequilla, bata la mantequilla en un bol hasta que espume. Tamice el azúcar glas por encima y bátalo hasta obtener una crema homogénea.

Introduzca la cobertura en una manga pastelera con boquilla de estrella. Repártala en forma de remolino entre los cupcakes y adórnelos con grageas plateadas o doradas.

Cupcakes de cumpleaños

PARA 24 UNIDADES

1³/₄ tazas de harina con levadura

1 taza de mantequilla ablandada o margarina

1 taza generosa de azúcar blanco

4 huevos un poco batidos

CREMA DE MANTEQUILLA

³/₄ de taza de mantequilla sin sal ablandada

2³/₄ tazas de azúcar glas (impalpable)

PARA ADORNAR

confites y flores de azúcar

velas de cumpleaños con sus correspondientes soportes (opcional)

Precaliente el horno a 180°C. Coloque 24 moldes de papel en un molde múltiple para cupcakes.

Tamice la harina en un bol grande. Añada la mantequilla, el azúcar y el huevo y bátalo con las varillas eléctricas hasta obtener una pasta homogénea.

Reparta la pasta entre los moldes de papel. Cueza los cupcakes en el horno de 15 a 20 minutos, o hasta que suban, se doren y se noten consistentes al tacto. Déjelos enfriar en una rejilla metálica.

Para preparar la crema de mantequilla, bata la mantequilla en un bol hasta que espume. Tamice el azúcar glas por encima y bátalo hasta obtener una crema homogénea.

Introduzca la cobertura en una manga pastelera con boquilla grande de estrella. Repártala en forma de remolino entre los cupcakes y adórnelos con confites y flores de azúcar. Si lo desea, ponga una vela con soporte en cada uno.

Cupcakes de bienvenida al mundo

PARA 12 UNIDADES

1 taza escasa de harina con levadura

$1/4$ de cucharadita de levadura en polvo

$1/2$ taza de mantequilla ablandada o margarina

$1/2$ taza generosa de azúcar blanco

2 huevos un poco batidos

1 cucharada de leche

1 cucharadita de esencia de vainilla

PARA ADORNAR

150 g de alcorza blanca

azúcar glas (impalpable), para espolvorear

150 g de alcorza azul claro o rosa

1 cucharada de confitura de albaricoque (damasco) caliente o de compota de albaricoque (damasco) caliente colada

1 tubo de glaseado blanco para dibujar

Precaliente el horno a 180 °C. Coloque 12 moldes de papel en un molde múltiple para cupcakes.

Tamice la harina y la levadura en un bol grande. Añada la mantequilla, el azúcar, el huevo, la leche y la vainilla y bátalo con las varillas eléctricas hasta obtener una pasta homogénea. Reparta la pasta entre los moldes de papel. Cueza los cupcakes en el horno de 15 a 20 minutos, o hasta que suban, se doren y se noten consistentes al tacto. Déjelos enfriar en una rejilla metálica.

Extienda la alcorza blanca con el rodillo sobre la encimera espolvoreada con azúcar glas hasta obtener una lámina de 5 mm de grosor. Corte 6 redondeles con un cortapastas de 6 cm de diámetro. Repita la operación con la alcorza azul o rosa. Pinte los cupcakes con un poco de confitura de albaricoque y disponga un redondel de alcorza encima de cada uno.

Junte los recortes de alcorza azul o rosa y extiéndalos de nuevo. Con un cortapastas en forma de osito, corte 2 unidades. Con un cortapastas en forma de flor muy pequeña, corte 4 unidades. Junte los recortes de alcorza blanca y extiéndalos de nuevo. Con un cortapastas en forma de flor, corte 2 unidades. Con un cortapastas acanalado de 4 cm de diámetro, corte 2 redondeles y recórteles un pequeño óvalo para obtener unos baberos. Con un cortapastas de 2,5 cm de diámetro, corte 2 redondeles y márquelos en forma de botón. Moldee 4 peúcos y 2 patitos con la alcorza que sobre.

Adhiera los adornos a los cupcakes con un poco de agua. Dibuje los últimos detalles, como los cordones de los peúcos, con el tubo de glaseado.

Cupcakes de Pascua

PARA 12 UNIDADES

$1/2$ taza de mantequilla ablandada o margarina

$1/2$ taza generosa de azúcar blanco

2 huevos un poco batidos

$2/3$ de taza de harina con levadura

$1/4$ de taza de cacao en polvo

36 huevos de chocolate recubiertos de caramelo en miniatura, para adornar

CREMA DE MANTEQUILLA

6 cucharadas de mantequilla sin sal ablandada

$1^1/3$ tazas de azúcar glas (impalpable)

1 cucharada de leche

unas gotas de esencia de vainilla

Precaliente el horno a 180 °C. Coloque 12 moldes de papel en un molde múltiple para cupcakes.

Bata la mantequilla con el azúcar en un bol grande hasta obtener una crema ligera y espumosa. Vierta el huevo, poco a poco, sin dejar de batir. Tamice la harina y el cacao en polvo por encima e incorpórelos con una cuchara metálica.

Reparta la pasta entre los moldes de papel. Cueza los cupcakes en el horno precalentado de 15 a 20 minutos, o hasta que suban y se noten consistentes al tacto. Déjelos enfriar en una rejilla metálica.

Para preparar la crema de mantequilla, bata la mantequilla en un bol hasta que espume. Tamice el azúcar glas por encima, bátalo hasta que esté bien mezclado y después incorpore la leche y la vainilla.

Introduzca la cobertura en una manga pastelera con boquilla grande de estrella. Repártala en forma de remolinos sobre los cupcakes como si fueran nidos. Para adornarlos, disponga 3 huevos de chocolate dentro de cada nido.

Cupcakes con flores de mazapán

PARA 12 UNIDADES

1 taza escasa de harina con levadura

½ cucharadita de levadura en polvo

½ taza de mantequilla ablandada o margarina

½ taza generosa de azúcar blanco

2 huevos un poco batidos

unas gotas de esencia de almendra

PARA ADORNAR

200 g de mazapán (pasta de almendra)

azúcar glas (impalpable), para espolvorear

2 cucharadas de confitura de albaricoque (damasco) caliente o de compota de albaricoque (damasco) caliente colada

Precaliente el horno a 180 °C. Coloque 12 moldes de papel en un molde múltiple para cupcakes.

Tamice la harina y la levadura en un bol grande. Añada la mantequilla, el azúcar, el huevo y la esencia de almendra y bátalo con las varillas eléctricas hasta obtener una pasta homogénea.

Reparta la pasta entre los moldes de papel. Cueza los cupcakes en el horno 20 minutos, o hasta que suban, se doren y se noten consistentes al tacto. Déjelos enfriar en una rejilla metálica.

Extienda el mazapán sobre la encimera espolvoreada con azúcar glas. Corte 60 redondeles con un cortapastas de 3 cm de diámetro. Si fuera necesario, junte los recortes y amáselos de nuevo. Unte los cupcakes con un poco de confitura de albaricoque. Pellizque un extremo de los redondeles de mazapán en forma de pétalo y ponga 5 en cada cupcake. Con el que sobre, forme unas bolitas y colóquelas a modo de botón.

Cupcakes con golosinas

PARA 12 UNIDADES

3/4 escasos de taza de mantequilla ablandada o margarina

3/4 de taza de azúcar blanco

3 huevos un poco batidos

1 1/4 tazas de harina con levadura

4 cucharaditas de caramelo gasificado con sabor a fresa (frutilla) (Peta Zetas)

gominolas, para adornar

CREMA DE MANTEQUILLA

3/4 de taza de mantequilla sin sal ablandada

2 cucharadas de leche

2 3/4 tazas de azúcar glas (impalpable)

colorante alimentario rosa y amarillo

Precaliente el horno a 180 °C. Coloque 12 moldes de papel en un molde múltiple para cupcakes.

Bata la mantequilla con el azúcar en un bol grande hasta obtener una crema ligera y espumosa. Vierta el huevo, poco a poco, sin dejar de batir. Tamice la harina por encima e incorpórela con suavidad con una cuchara metálica. Añada la mitad del caramelo gasificado y remueva.

Reparta la pasta entre los moldes de papel. Cueza los cupcakes en el horno de 18 a 22 minutos, o hasta que suban, se doren y se noten consistentes al tacto. Déjelos enfriar en una rejilla metálica.

Para preparar la crema de mantequilla, bata la mantequilla en un bol con las varillas eléctricas 2 o 3 minutos, hasta que esté blanquecina y cremosa. Incorpore la leche y, después, el azúcar glas tamizado poco a poco, sin dejar de batir 2 o 3 minutos, hasta obtener una crema ligera y espumosa. Divídala entre 2 boles y añada un poco de colorante rosa en uno y un poco de amarillo en el otro.

Reparta la cobertura en forma de remolino entre los cupcakes y adórnelos con golosinas. Antes de servirlos, esparza el caramelo gasificado restante por encima.

Cupcakes de manzana al caramelo

PARA 16 UNIDADES

2 manzanas

1 cucharada de zumo
(jugo) de limón

2 tazas de harina

2 cucharaditas de levadura
en polvo

$1^1/_2$ cucharaditas
de canela molida

$^1/_3$ de taza de azúcar
moreno

4 cucharadas de
mantequilla derretida,
y un poco más para untar

$^1/_2$ taza escasa de leche

$^1/_2$ taza escasa de zumo
(jugo) de manzana

1 huevo un poco batido

SALSA DE CARAMELO

2 cucharadas de nata
(crema) extragrasa

$^1/_4$ escaso de taza
de azúcar moreno

1 cucharada
de mantequilla

Precaliente el horno a 200°C. Unte con mantequilla un molde múltiple para 16 cupcakes.

Ralle gruesa 1 manzana. Corte la otra en cuñas de 5 mm de grosor y rocíelas con el zumo de limón. Tamice la harina, la levadura y la canela en un bol grande y, después, incorpore el azúcar y la manzana rallada.

Mezcle la mantequilla derretida con la leche, el zumo de manzana y el huevo. Incorpore los ingredientes líquidos a los secos y remueva, solo un poco, hasta que estén mezclados.

Reparta la pasta entre los huecos del molde y disponga 2 cuñas de manzana sobre cada uno de ellos. Cueza los cupcakes en el horno de 15 a 20 minutos, o hasta que suban, se doren y se noten consistentes al tacto. Déjelos enfriar en una rejilla metálica.

Para preparar la salsa de caramelo, caliente todos los ingredientes en un cazo sin dejar de remover hasta que el azúcar se disuelva. Suba el fuego y hiérvala 2 minutos, o hasta que empiece a espesarse y a adquirir una consistencia almibarada. Déjela enfriar un poco, rocíela sobre los cupcakes y espere a que cuaje.

Cupcakes de Halloween

PARA 12 UNIDADES

1 taza escasa de harina con levadura

$^1/_2$ taza de mantequilla ablandada o margarina

$^1/_2$ taza generosa de azúcar blanco

2 huevos un poco batidos

PARA ADORNAR

200 g de alcorza naranja

azúcar glas (impalpable), para espolvorear

55 g de alcorza negra

tubos de glaseado negro y amarillo, para dibujar

Precaliente el horno a 180 °C. Coloque 12 moldes de papel en un molde múltiple para cupcakes.

Tamice la harina en un bol grande. Añada la mantequilla, el azúcar y el huevo y bátalo con las varillas eléctricas hasta obtener una pasta homogénea.

Reparta la pasta entre los moldes de papel. Cueza los cupcakes en el horno de 15 a 20 minutos, o hasta que suban, se doren y se noten consistentes al tacto. Déjelos enfriar en una rejilla metálica.

Extienda la alcorza naranja con el rodillo sobre la encimera espolvoreada con azúcar glas hasta obtener una lámina de 5 mm de grosor. Corte 12 redondeles con un cortapastas de 5,5 cm de diámetro. Si fuera necesario, junte los recortes y amáselos de nuevo. Disponga un redondel sobre cada cupcake.

Extienda la alcorza negra del mismo modo. Corte 12 redondeles con un cortapastas de 3 cm de diámetro y dispóngalos en el centro de los cupcakes. Con el glaseado negro, dibuje 8 patas a cada araña y, con el amarillo, los ojos y la boca.

Fantasmas

PARA 6 UNIDADES

6 cucharadas de mantequilla ablandada o margarina

½ taza escasa de azúcar moreno

1 cucharada de melaza (miel de caña)

2 huevos grandes un poco batidos

1 taza generosa de harina

2 cucharaditas de pimienta de Jamaica molida

¾ de cucharadita de bicarbonato

CREMA DE MANTEQUILLA

6 cucharadas de mantequilla sin sal ablandada

1 cucharada de dulce de leche

1⅓ tazas de azúcar glas (impalpable)

PARA ADORNAR

350 g de alcorza blanca

azúcar glas (impalpable), para espolvorear

1 tubo de glaseado negro, para dibujar

Precaliente el horno a 180 °C. Coloque 12 moldes de papel en un molde múltiple para cupcakes y 6 en uno para 6 minicupcakes.

Bata la mantequilla con el azúcar y la melaza en un bol hasta que esté ligera y espumosa. Vierta el huevo, poco a poco, sin dejar de batir. Tamice la harina, la pimienta y el bicarbonato por encima e incorpórelos con una cuchara metálica.

Reparta la pasta entre los moldes de papel. Cueza los minicupcakes de 10 a 12 minutos y los grandes de 15 a 20 minutos, hasta que suban y se noten consistentes al tacto. Déjelos enfriar en una rejilla metálica.

Para preparar la crema de mantequilla, bata la mantequilla con el dulce de leche en un bol con las varillas eléctricas 2 o 3 minutos, hasta que esté cremosa. Tamice el azúcar glas por encima y bátalo de nuevo.

Quíteles los moldes de papel a la mitad de los cupcakes grandes y a todos los minicupcakes. Si fuera necesario, recórteles la parte superior para igualarlos. Unte los cupcakes restantes con un poco de crema de mantequilla. Coloque un cupcake grande invertido sobre cada uno y, después, un minicupcake, también invertido. Unte los cupcakes apilados con crema de mantequilla. Refrigérelos 30 minutos.

Forme 6 bolitas con 50 g de la alcorza blanca y coloque una encima de cada pastelito. Divida la alcorza restante en 6 trozos y extiéndalos por separado sobre la encimera espolvoreada con azúcar glas hasta obtener redondeles de 14 cm de diámetro y unos 3 mm de grosor. Colóquelos sobre los pastelitos de modo que queden holgados. Dibuje los ojos y la boca de los fantasmas con el glaseado negro.

Cupcakes de Navidad

PARA 16 UNIDADES

$^1/_2$ taza generosa de
mantequilla ablandada
o margarina

1 taza de azúcar blanco

4 huevos un poco batidos

unas gotas de esencia
de almendra

$1^1/_4$ tazas de harina
con levadura

$1^3/_4$ tazas de almendra
molida

PARA ADORNAR

450 g de alcorza blanca

azúcar glas (impalpable),
para espolvorear

55 g de alcorza verde

25 g de alcorza roja

Precaliente el horno a 180 °C. Coloque 16 moldes
de papel en un molde múltiple para cupcakes.

Bata la mantequilla con el azúcar en un bol grande hasta
obtener una crema ligera y espumosa. Vierta el huevo
poco a poco y, después, añada la esencia de almendra.
Tamice la harina por encima y, con una cuchara metálica,
incorpórela con la almendra molida.

Reparta la pasta entre los moldes de papel. Cueza los
cupcakes en el horno 20 minutos, o hasta que suban,
se doren y se noten consistentes al tacto. Déjelos enfriar
en una rejilla metálica.

Extienda la alcorza blanca con el rodillo sobre la encimera
espolvoreada con azúcar glas hasta obtener una lámina de
5 mm de grosor. Corte 16 redondeles con un cortapastas
de 7 cm de diámetro. Si fuera necesario, junte los recortes
y amáselos de nuevo. Disponga un redondel sobre cada
cupcake.

Extienda la alcorza verde del mismo modo. Con un
cortapastas en forma de hoja de acebo corte 12 unidades.
Humedezca las hojas con un poco de agua y disponga
2 sobre cada cupcake. Extienda la alcorza roja, moldéela
en 48 bolitas y repártalas entre las hojas.

Cupcakes estrellados

PARA 12 UNIDADES

6 cucharadas de mantequilla ablandada o margarina

1/2 taza escasa de azúcar moreno

1 huevo grande un poco batido

2/3 de taza de harina con levadura

1/2 cucharadita de canela molida

1 cucharada de leche

ESTRELLAS

85 g de alcorza amarilla

azúcar glas (impalpable), para espolvorear

purpurina dorada comestible (opcional)

GLASEADO

2/3 de taza de azúcar glas (impalpable)

2-3 cucharaditas de zumo (jugo)

de limón

Precaliente el horno a 180 °C. Coloque 12 moldes de papel en un molde múltiple para cupcakes.

Bata la mantequilla con el azúcar en un bol grande hasta obtener una crema ligera y espumosa. Vierta el huevo, poco a poco, sin dejar de batir. Tamice la harina y la canela y, con una cuchara metálica, incorpórelas con la leche.

Reparta la pasta entre los moldes de papel. Cueza los cupcakes en el horno 20 minutos, o hasta que suban, se doren y se noten consistentes al tacto. Déjelos enfriar en una rejilla metálica.

Para preparar las estrellas, extienda la alcorza amarilla sobre la encimera espolvoreada con azúcar glas hasta obtener una lámina de 5 mm de grosor. Con un cortapastas pequeño en forma de estrella, corte 12 unidades. Si lo desea, píntelas con un poco de purpurina dorada. Resérvelas sobre un trozo de papel vegetal.

Para preparar el glaseado, tamice el azúcar glas en un cuenco e incorpore el zumo de limón hasta que adquiera una textura espesa.

Glasee los cupcakes y adórnelos con una estrella cada uno. Deje cuajar el glaseado antes de servirlos.

Muñecos de nieve

PARA 10 UNIDADES

½ taza de mantequilla ablandada o margarina

½ taza generosa de azúcar blanco

2 huevos grandes un poco batidos

1 taza escasa de harina con levadura

1 taza escasa de coco rallado

2 cucharadas de leche

CREMA DE MANTEQUILLA

4 cucharadas de mantequilla sin sal ablandada

2 cucharadas de nata (crema) extragrasa

1 taza escasa de azúcar glas (impalpable)

PARA ADORNAR

55 g de alcorza negra

azúcar glas (impalpable), para espolvorear

cerezas y angélica confitadas, pepitas de chocolate y gominolas naranja

Precaliente el horno a 180 °C. Coloque 10 moldes de papel en un molde múltiple para cupcakes.

Bata la mantequilla con el azúcar en un bol grande hasta obtener una crema ligera y espumosa. Vierta el huevo poco a poco, sin dejar de batir. Tamice la harina por encima e incorpórela con suavidad con una cuchara metálica. Añada ½ taza generosa del coco y toda la leche y remueva.

Reparta la pasta entre los moldes de papel. Cueza los cupcakes en el horno de 15 a 20 minutos, o hasta que suban, se doren y se noten consistentes al tacto. Déjelos enfriar en una rejilla metálica.

Para preparar la crema de mantequilla, bata la mantequilla en un bol con las varillas eléctricas 2 o 3 minutos, hasta que esté blanquecina y cremosa. Incorpore la nata y el azúcar glas tamizado poco a poco, sin dejar de batir 2 o 3 minutos, hasta obtener una crema ligera y espumosa.

Unte los cupcakes con la crema de mantequilla, dándoles una forma un poco abombada con una espátula. Esparza el coco restante por encima.

Extienda la alcorza negra sobre la encimera espolvoreada con azúcar glas y córtela en forma de 10 sombreros. Adórnelos con trocitos de cereza y angélica confitadas, como si fueran hojas de acebo y bayas. Disponga los sombreros sobre los cupcakes. Adórnelos con 2 pepitas de chocolate, 1 gominola y 1 tira fina de alcorza negra cada uno para hacer los ojos, la nariz y la boca de los muñecos.

Índice

¡Que aproveche!